FLORA MARTIN

Catalogage avant publication de Bibliothèque et Archives nationales du Québec et Bibliothèque et Archives Canada

Dufour-Clément, Denise

   Flora Martin

   ISBN 978-2-89077-377-6

   I. Titre.

PS8607.U359F56 2010   C843'.6   C2010-940242-1

PS9607.U359F56 2010

Couverture

© Musée McCord – William Notman & Son

Photographie d'un portrait d'une inconnue peint
par Mlle Gertrude Des Clayes. Copie réalisée pour l'artiste, 1916

Conception graphique : Annick Désormeaux

Intérieur

Mise en pages : Michel Fleury

© 2010, Flammarion Québec

Tous droits réservés

ISBN 978-2-89077-377-6

Dépôt légal BAnQ : 2e trimestre 2010

Imprimé au Canada

www.flammarion.qc.ca

Denise Dufour-Clément

FLORA MARTIN

roman

Flammarion
Québec

En hommage à ma grand-mère, Flora Martin.

À Jacques, à ma famille, à mon village.

On est d'abord du pays de son enfance.
ANTOINE DE SAINT-EXUPÉRY

I

C'était le 6 décembre 1896. Jamais elle n'oublierait cette date, ce jour qui l'arrachait impitoyablement à la famille du Dr James McLean et à la ville de Boston. Assise sur la banquette de crin, Flora Martin se tenait le dos droit, la tête haute, et personne – non, personne! – ne pourrait entendre les vents violents qui avaient provoqué l'horrible naufrage de son cœur maintenant démâté. Elle retiendrait ses pleurs et ses cris de révolte.

Dans le bruit de ferraille de wagons qu'on accroche, le train intercolonial allait bientôt quitter Boston. Il passerait par Montréal et Lévis, en face de Québec, avant de se rendre dans la vallée de la Matapédia, là où se trouvait le village natal de Flora. Celle-ci portait sur son manteau d'automne le plaid bien drapé que Marie Bastarache, épouse de James McLean, lui avait conseillé de se procurer dès son arrivée à Boston, deux ans plus tôt. Elle serrait fortement entre ses doigts la chaude écharpe de laine écossaise offerte par Marie et James juste avant son départ. Cette écharpe dont les couleurs vives étaient aussi celles de son clan à elle, Flora, acadienne par son père, Joseph-Octave Martin, et écossaise par sa mère, Susannah McLean.

7

Ces tartans à carreaux rouges sur lignes croisées de couleur verte la rattachaient à ses lointains ancêtres maternels venus des Highlands, hautes terres du nord de l'Écosse. Elle les considérait comme un talisman qui la protégerait d'elle-même. Elle s'accrocherait à tous ces fils tissés, porteurs d'intemporalité et de défis humains. Ils avaient traversé des siècles, des océans pour se nouer de nouveau en Amérique : au Canada, aux États-Unis, en Acadie, à Boston, au Québec et même dans son petit village de Saint-Alexis-de-Matapédia.

Une fois de plus, elle relut la courte lettre signée par son père : « Tu dois revenir. Ta mère ne se remet toujours pas de la tragédie survenue sur le chemin Kempt. Nous avons besoin de toi. Écris-nous la date de ton arrivée. Je serai au quai de la gare de Matapédia. » L'écriture paternelle était claire, nette, énergique, et la signature, autoritaire. Une aînée de famille se devait de répondre aux obligations léguées aux femmes par les générations qui l'avaient précédée. Elle avait obéi.

Dans un soubresaut de sentiments confus, Flora crut réentendre son cousin, James McLean, fredonner les notes nostalgiques de l'*Auld Lang Syne*. Comme bien d'autres avant et après lui, il avait spontanément entonné la chanson du barde écossais Robert Burns au moment des adieux. « Oui, nous nous reverrons, Flora », avait-il ajouté par la suite, alors que Marie et les enfants la serraient dans leurs bras.

Elle ferma les yeux, afin de savourer la voix enveloppante du D^r McLean. Celle-ci l'ensorcelait encore, bien qu'elle sût que ses élans pour lui eussent été vains et qu'elle n'eût jamais réellement souhaité qu'il en fût autrement.

Oui, elle avait admiré passionnément le D^r McLean et se-
crètement désiré cet homme qui appartenait à une autre
femme, Marie, sa meilleure amie. Quelle était donc cette
loi supérieure, aux yeux bandés, qui menait à sa guise le
destin des humains ? Qui donc avait inventé la racine dé-
chirante des amours impossibles ?

Au cours des deux années précédentes, Flora avait servi
d'adjointe au D^r McLean dans sa clinique de Boston. Grâce
à lui, elle avait appris à soigner les corps et, aussi, à regarder
du côté de l'âme. «Face à un être qui souffre, lui avait-il
répété, il faut tenter de déceler ce qui se cache sous l'écorce
corporelle. Est-ce uniquement le corps qui est consumé
par la maladie ? Est-ce que ce ne serait pas aussi l'âme se
dévorant elle-même par des lames de fond angoissantes
qui reviennent inlassablement ?»

Brusquement, le corps du train se révulsa, saisi par la
poussée soudaine de sa locomotive au ventre bourré de
bois et de charbon en feu. Le train quittait Boston dans un
cri déchirant sorti de ses poumons gorgés de vapeur et Flora
y enveloppa la complainte douloureuse de ses amours impossibles. Gabriel, l'homme mystérieux des routes de terre
et de mer qu'elle avait délibérément magnifié en le trans-
posant dans le poème acadien *Évangéline* de Longfellow.
Thomas, le Métis, avalé par les eaux traîtresses de la rivière
Matapédia. James, marié à sa «presque sœur» acadienne.
Edward MacRae, professeur à l'Université Harvard.

Ce voyage entre la ville de Boston et son village natal
allait durer quelques jours, qui seraient aussi longs, pensa-
t-elle, que des nuits sans sommeil. C'est pourquoi elle décida de rentrer profondément en elle-même et de remonter
le fil du temps. Elle tenterait, ainsi, d'exorciser ses démons,

de lutter contre ses fantômes et de retrouver ses amis perdus. Et surtout, elle se regarderait en face dans le miroir de ses convictions et de ses incertitudes. En toute lucidité, elle s'abandonna à cette lame acérée qui allait creuser dans les zones secrètes de son âme et fouiller dans les entrailles de son corps de femme.

« Besoin de toi. » Les mots écrits par la main paternelle en novembre lui rappelaient une autre lettre reçue de Boston deux ans plus tôt. C'était en août 1894 et elle était signée par Marie Bastarache : « Les garçons grandissent et je manque de temps pour épauler James dans son cabinet. Je sais que tu as toujours voulu apprendre à soigner et il a grand besoin d'une assistante. De plus, les enfants semblent perdre peu à peu ce que nous considérons toutes deux comme un patrimoine sacré : notre histoire et notre langue française. Chère Flora, viendras-tu nous rejoindre à Boston avant qu'il ne soit trop tard ? »

« Avant qu'il ne soit trop tard. » Ces deux derniers mots lui avaient fait battre les tempes comme l'aurait fait le claquement d'un drapeau français. C'est ainsi que, au début de l'automne suivant, elle avait quitté Saint-Alexis-de-Matapédia pour le 238 Huntington Avenue à Boston. Elle y avait retrouvé deux personnes qu'elle aimait à travers les attaches ancestrales de l'Acadie et de l'Écosse : Marie Bastarache et James McLean.

Les ancêtres de Marie avaient pu échapper à la déportation des Acadiens de 1755 en se cachant dans l'isthme de Shediac, au fond de l'Acadie française, grâce aux alliés indiens de la tribu des Micmacs. Cependant, sept ans plus tard, ils n'avaient pu se soustraire à la rafle du gouverneur Jonathan Belcher. En 1762, Belcher fit embarquer sur des goélettes mille cinq cents Acadiens afin qu'ils soient dispersés dans les colonies anglo-américaines. Deux de ces goélettes, surchargées, avaient dû relâcher au havre de Boston, dans le Massachusetts. Il fallait radouber les avaries causées par une tempête en haute mer, survenue dans l'ancienne « Baie française ». Rebaptisée baie de Fundy par les Anglais, ses eaux comptent parmi les plus tumultueuses de l'Atlantique.

C'est ainsi que les Bastarache, séparés dès le jour du funeste embarquement, s'étaient retrouvés à Boston où d'autres exilés acadiens les avaient pris en charge. Tous ces déportés avaient laissé derrière eux des biens accumulés pendant quatre ou cinq générations : leurs maisons, des milliers de têtes de bétail et, surtout, leurs magnifiques terres d'alluvions en partie récupérées sur la mer et transmises de père en fils.

Les colons acadiens avaient en effet mis en place d'ingénieux systèmes de digues, les aboiteaux, qui refoulaient les marées tout en laissant s'écouler l'eau des rivières. Ils avaient ainsi réussi à assécher d'immenses champs devenus fertiles dans lesquels poussaient le blé, le chanvre et le foin. Toute cette richesse si chèrement acquise avait été confisquée par les armées anglaises.

Les Bastarache s'estimaient néanmoins chanceux, car un grand nombre d'Acadiens étaient morts de misère dans les navires de l'exil. D'autres, restés à Grand-Pré sous la garde des soldats anglais, faute de transport suffisant pour leur déportation, avaient vu, avant d'aller se cacher dans les forêts, flamber une à une les maisons de bois de leur village, leurs granges, leur église, leur moulin. Dénués de tout, ils avaient compris que l'objectif ultime de Londres était l'anéantissement de la résistance française, où qu'elle fût en Amérique. Les Anglais désiraient disperser et isoler les Acadiens, et c'est pourquoi ils les avaient expatriés dans les colonies anglo-américaines. Si, au contraire, les Acadiens avaient été rapatriés vers le Canada, ils auraient vraisemblablement joint les effectifs français. Or, l'Angleterre comptait bien s'emparer de tout le pays et tentait donc de réduire à néant les défenses de la Nouvelle-France. Leur tentative d'affaiblissement n'avait cependant pas entièrement réussi, car cent ans plus tard, grâce à des familles comme celle de Marie Bastarache, la survivance française s'épanouissait en terre étrangère.

Quant à James McLean, ses ancêtres avaient eux aussi vécu dans les terres mystérieuses de l'Écosse, les Highlands, où régnaient les chefs de clans. Là aussi, les cris de guerre avaient résonné pendant des siècles. Des centaines de batailles entre l'Angleterre, désireuse d'étendre son empire, et l'Écosse, luttant pour son indépendance, avaient ensanglanté les sols de l'une comme de l'autre. Robert Bruce, héros de l'indépendance écossaise, avait d'ailleurs déclaré dès 1320: «Aussi longtemps que cent d'entre nous resteront, nous ne nous soumettrons jamais, quelles que soient les conditions, à la domination des Anglais.»

Inlassablement, l'histoire se répétait. Quatre siècles plus tard, en Amérique cette fois, alors que l'Acadie et le Canada constituaient déjà la Nouvelle-France, les colons français, séparés de leur mère patrie par les immensités de l'océan, ne prononceraient-ils pas le même serment?

Quoi qu'il en soit, le XVIIIᵉ siècle sonna également, pour les ancêtres de James McLean, le premier glas des Highlanders à la suite du vote de l'Acte d'union entre les royaumes d'Écosse et d'Angleterre. Afin de mater toute possibilité de rébellion susceptible d'être fomentée par ses turbulents voisins, l'Angleterre planifia une répression terrible. Les montagnards des Highlands furent non seulement privés de leurs armes, mais encore du droit de parler leur langue maternelle – le gaélique – et de porter leur costume national. De plus, on anéantit les clans écossais, dont les chefs, devenus de simples propriétaires terriens, dépossédèrent à leur tour leurs propres hommes en s'emparant de leurs terres afin de les convertir en pâturages pour les nombreux troupeaux de moutons.

Ce fut la dure époque des Clearances, qui provoquèrent l'éviction de dizaines de milliers de Highlanders. La plupart des familles chassées s'embarquèrent pour l'Amérique du Nord, les unes vers le Canada, les autres vers les États-Unis. Celle de James s'enracina à Boston. C'est ainsi que Marie, l'Acadienne, et James, l'Écossais, dont les ancêtres avaient dû parcourir les cruelles routes de l'exil, s'étaient croisés au carrefour de l'histoire et de l'amour.

II

L'année précédant son mariage, Marie s'était rendue au village de Saint-Alexis, invitée par les parents de Flora, Susannah et Joseph-Octave. Les deux jeunes filles, qui avaient le même âge, s'étaient rapidement liées d'amitié.

Après leur mariage, Marie et James avaient accompli un long périple à travers l'Acadie et le Québec. Ils avaient séjourné chez les parents de Flora. C'était en juillet 1886, au cœur d'un bel été. Les récoltes étaient mûrissantes et, déjà, on avait aiguisé les faux sur l'arête de pierre. Les voisins les plus apparentés viendraient pour la corvée de la fenaison. Le mois de juin avait été humide et tous les cultivateurs du village savaient que les pluies abondantes apportent de riches récoltes de foin. «Juin fait le foin», répétaient-ils.

Les Martin, le père et les fils, Léonard et Jérôme, se levaient donc à la barre du jour. Homme de science plutôt que de labeur, James s'était d'abord contenté d'observer le fauchage du foin qui, sous l'effet d'une belle chaleur sèche, avait pu être râtelé en de longs rubans souples dès les jours suivants. La saine robustesse des hommes moissonnant dans les champs l'avait marqué. Ils travaillaient depuis quatre ou cinq heures déjà quand, à midi, au son de l'angélus, ils avaient enlevé leurs larges chapeaux de paille afin d'incliner la tête pour prier. Puis, rapidement, alors que le soleil était à son zénith, ils s'étaient dirigés vers un arbre au feuillage généreux. On y avait déposé, à l'ombre, une cruche de grès contenant de l'eau fraîche, à laquelle on avait ajouté une portion de whisky écossais offert par James à la famille Martin.

– C'est le *malt whisky* fabriqué dans les Highlands, répétait James à la ronde. Buvons à l'Auld Alliance car je sais, Joseph-Octave, que Maggie vous a raconté…

Plusieurs fois, celle-ci avait évoqué l'Auld Alliance, cette entente cordiale conclue entre l'empereur français Charlemagne et le roi d'Écosse, Achaïus. Ce traité, signé en 791, promettait que «dans tous les temps à venir, les rois d'Écosse porteraient leur lion rouge dans un écusson bordé de fleurs de lys».

– Oui, buvons à l'entente cordiale de l'Auld Alliance, chers amis. Buvons à l'amitié entre les Écossais et les Français, s'étaient exclamés fort joyeusement James et Joseph-Octave.

C'est alors que l'on vit arriver Susannah, Marie et Flora, portant, dans de grands paniers recouverts de fine toile de lin, le repas qu'elles avaient préparé. Joseph-Octave était heureux de l'offrir à tous ces hommes qui l'aidaient à la corvée de la fenaison. Les victuailles étaient copieuses : soupe aux pois, pain de ménage, lard salé, radis frais du jardin, caillé saupoudré de sucre d'érable ou agrémenté de fraises des champs. «Vive la France! Vive l'Écosse!» avaient repris en chœur les trois femmes, d'une voix enjouée et quelque peu moqueuse, tout en ajoutant : « Nous, les femmes, nous mangeons à table, dans la cuisine d'été ! »

Les jours suivants, James était monté, chemise ouverte, dans la charrette à foin tirée par un robuste cheval de trait. « C'est un cheval du pays, un *payse* comme on dit ici, et avec de l'allant et du cœur à l'ouvrage », lui avait expliqué fièrement Joseph-Octave. L'animal baissait résolument la tête et tendait ses jambes en avant pour tirer vers la grange les lourds voyages de foin appesantis par des enfants aux yeux rieurs qui se bousculaient dans la charrette et par le poids de quelques hommes harassés par le labeur et la chaleur du jour.

James, en bon citadin, avait souri d'étonnement à la vue du cheval coiffé d'un chapeau percé de deux trous pour laisser passer les oreilles. Quand, plus tard, il était monté sur le dernier voyage de foin, il avait ressenti une certaine émotion face au rituel joyeux de ces hommes dont les tempes ruisselaient de sueur. Vivement, tous avaient accroché leurs chapeaux de paille au bout de leurs fourches dressées comme des mâts de victoire entre les ridelles de la charrette. « Les foins sont finis avant la pluie ! » se félicitaient-ils. Les champs de Joseph-Octave avaient fourni en abondance et n'attendaient que d'être ensemencés de nouveau.

Avec ses fils, Joseph-Octave avait surveillé de près l'engrangement du foin dans le fenil situé au-dessus de l'étable. Il avait vu à ce qu'il soit étendu uniformément sous les combles et foulé également, afin, expliquait-il à James, que « le foin jette son feu », c'est-à-dire qu'il reste sec et ne s'échauffe pas. Il ajouta – car il aimait instruire James des secrets de la terre – que l'idée de construire un fenil, abri sûr à l'épreuve du vent, des courants d'air et de l'humidité du sol, s'était transmise de père en fils par «nos ancêtres venus de France».

Marie et Flora, quant à elles, s'étaient vu confier, en plus de la cueillette des fraises des champs, la tâche plus délicate des rapaillages, ces foins fauchés laissés à l'orée du bois et qu'il fallait transformer en veillottes. Elles s'étaient enivrées, disaient-elles, de tous les parfums qui leur étaient montés au visage: herbes de senteur, thé des bois, trèfles d'odeur. Elles avaient entendu des chants d'oiseaux et découvert des nids bien cachés, enveloppés de crin et de duvet. Marie s'était presque maternellement attardée devant des oisillons frileux et Flora, brusquement, lui avait demandé:

– Tu auras un enfant, Marie?

Elle avait en effet remarqué que celle-ci, quoique vêtue d'une robe en coton coupée au-dessus des chevilles et coiffée d'un large chapeau de paille, avait refusé de monter sur les voyages de foin.

Marie était devenue lumineuse comme une aurore d'été.

– Oui, Flora. James et moi avons l'intention de fonder une famille et mon ventre est actuellement ce que j'ai de plus précieux. Mais toi, dis-moi, es-tu guérie de tes amours perdues? As-tu oublié Gabriel? Et Thomas, tu m'en as bien peu parlé.

Flora n'avait pas répondu immédiatement. Elle regardait au loin la ligne du ciel, au-delà de laquelle elle avait voulu si souvent partir, mais jamais, non jamais elle ne confierait, même à Marie, le secret lourd comme une pierre qui, certains jours, la faisait tomber dans un trou de honte et d'humiliation. Non, elle ne le dévoilerait pas. Jamais.

Il lui arrivait encore de s'interroger sur l'étonnante illusion de son premier amour. C'est au magasin général qu'elle avait aperçu Gabriel pour la première fois et elle, «la raisonnable, la raisonneuse», comme l'appelait son père, avait été transportée dans un rêve étrange... D'où venait ce bel étranger? Qui était cet homme si différent de la plupart des garçons du village, avec sa fine chemise blanche, ses épaules larges, envoûtantes, et ses lourds cheveux noirs qui bouclaient sur la nuque? Clouée sur place, magnétisée par sa présence, elle l'avait regardé si intensément qu'il avait tourné la tête vers elle et...

Marie, cependant, s'enquérait:

– Tu te souviens? Tu m'avais envoyé par la poste quelques vers du poète canadien-français Pamphile Le May, traducteur passionné, me disais-tu, de l'*Évangéline* de Longfellow.

– Oui, acquiesça Flora, tout en murmurant:

«Ô vous tous qui croyez au bon cœur de la femme,
À la force, au courage, à la foi de son âme,
[...]
C'est un poème doux que le cœur psalmodie,
C'est l'idylle d'amour de la belle Acadie!»

Marie reprit:

– Tu avais ajouté: «J'ai rencontré Gabriel!»

Flora reconnut que, cet été-là, elle avait tout confondu: le désir de sortir du village, l'appel de l'amour, les personnages idylliques d'Évangéline et de Gabriel, sa vie qui s'illuminait près du bel inconnu. Elle avait décrété – par défi? – qu'elle serait la première à l'aimer... envers et contre tous. Car, déjà, les langues s'étaient déliées et les ragots allaient bon train. On ne le nommait pas. On disait : «Le beau ténébreux de la veuve Anna est arrivé…», «Il y a longtemps qu'on n'avait pas vu de survenant au village…», «Sans foi ni loi, on devient vite un réprouvé…», «Sa pauvre mère…» et «Si feu son père le voyait…»

Les commérages, Flora les entendait sans vraiment les entendre. Quelles étaient donc ces contrées mystérieuses au-delà de la vallée de la Matapédia que lui avait vues, et qu'elle souhaitait tant connaître? Elle se sentait flotter dans un espace brumeux, chaotique. Elle était persuadée qu'aucun garçon du village ne voudrait franchir l'horizon avec elle pour aller ailleurs. Mais lui?

— J'appris qu'il s'appelait Gabriel… Marie, il s'appelait Gabriel!

Il lui était donc prédestiné. On avait beau dire qu'il «vendrait sa mère pour un plat de lentilles», elle, Flora Martin, était devenue l'Évangéline du *Conte d'Acadie* de Henry Wadsworth Longfellow. Elle le défendrait contre les langues de vipère. Plus on le marquait au fer rouge, plus elle l'appelait par son nom d'amour : Gabriel. Ils seraient les nouveaux amants du poème de Longfellow, l'éternité leur appartiendrait.

— Tu te souviens, Marie?

«Gabriel revêtait la fraîcheur des matins,
Et son front réjoui rêvait d'heureux destins.»

Marie fit signe de la tête et continua :

«Dans ses chastes espoirs, ses douces clartés d'âme,
Évangéline aimait et se révélait femme.»

De l'œil, Flora était cependant à la recherche de fleurs sauvages. Elle se penchait tantôt à droite, tantôt à gauche, avec fébrilité. Constamment, elle devait colmater la brèche d'où pourrait s'échapper ce qu'elle appelait au plus profond de sa conscience un « secret honteux ».

— J'avais appris aussi que notre terre si belle et celle de son père, évidemment en friche, se croisaient au loin, passé la lisière du bois.

Attirée comme par un aimant, elle s'était mise à marcher dans les champs. Soudainement, elle l'avait aperçu. Il était là. L'attendait-il ? Le cœur gonflé par les mots d'amour de Longfellow, elle revivait avec extase l'histoire de Gabriel, le fils de Basile le forgeron, et d'Évangéline, la fille du paysan Bellefontaine.

— J'avais dix-sept ans... dit Flora pensivement.

— « Et son Évangéline, elle était belle à voir / Avec ses dix-sept ans, et son brillant œil noir / Qu'ombrageait quelque peu sa brune chevelure, / Son œil qu'on eut dit fait du velours de la mûre », avaient déclamé d'un même souffle les deux amies.

Flora, déjà, ajoutait :

— Lui, quel âge avait-il ? Qui était-il au juste ? Je ne le savais pas. Je déformais le *Conte d'Acadie*, je l'arrangeais, je m'exaltais : « Mais pour Gabriel seul son cœur s'était ouvert... »

« Un cœur ouvert qui a saigné abondamment », pensa Marie.

Cette première conversation avec le jeune homme l'avait fortement troublée, confia Flora à Marie. De la voir vivre, elle, « une belle fille intelligente comme toi », dans ce village perdu le consternait. « J'ai vu du pays », répétait-il.

Gabriel lui avait alors décrit des lieux qu'elle ne connaissait que par ses livres d'école. La ville de Québec encore imprégnée du Régime français, avec son port qui s'ouvrait sur l'immense fleuve Saint-Laurent. «Il avait marché, oui, Marie, disait-elle avec un certain étonnement, il avait marché sur les plaines d'Abraham.» Là même où Montcalm et Wolfe s'étaient férocement battus et étaient morts pour les rois de France et d'Angleterre.

Il lui avait parlé aussi des maisons richement bâties de Montréal, de son port très animé par les marchands français et anglais qui y négociaient. Il avait radoubé, dans la grande baie de Gaspé, les coques des cargos débordant de marchandises venues du Vieux Continent. «Tous les ports se ressemblent», avait-il rapidement ajouté.

Pas pour elle. Elle se souvenait des illustrations installées sur les murs de la classe. Les grands voiliers d'autrefois aux mâts blancs, à la coque de chêne, l'avaient toujours fait rêver. Elle avait alors demandé à Gabriel, qui avait vu tant de bateaux, s'il en existait encore comme la *Niña* ou la *Pinta* de Christophe Colomb. Comme ce sujet la passionnait, elle avait insisté.

«Tu te souviens, avait-elle dit avec enthousiasme, de cette grande illustration à l'école, montrant Jacques Cartier, le découvreur du Canada, accoudé au bastingage de la *Grande Hermine* qui mouillait dans la rade de Gaspé?»

Il avait éclaté de rire, de ses belles dents carrées et fortes que le teint hâlé de son visage rendait encore plus blanches.

«Petite fille, avait-il lancé dans un sourire qui lui était apparu railleur, l'école et les caravelles des découvreurs du Canada, c'est très loin derrière moi. J'ai trente ans. Je travaille dans les ports. Je vis la vraie vie, pas celle que tu lis dans les livres. D'ailleurs, il y a longtemps que je n'ai pas tenu un livre dans mes mains!»

– Il a dit ça? rétorqua Marie qui connaissait la passion de Flora pour les livres.

– Oui, il a dit ça!

Elle en était alors restée stupéfaite. Mais la caresse de ses doigts forts et chauds sur sa main et surtout le mystère de cet homme qui avait eu – ce qu'elle appelait à ce moment-là – le courage de quitter le village avaient continué de la fasciner.

Marie n'était pas au bout de ses surprises.

Pendant des jours, Flora était allée le retrouver. Susannah et Joseph-Octave n'y avaient pas porté attention, habitués qu'ils étaient de la voir marcher dans les champs au gré de ses besognes quotidiennes.

– Ce qu'ils ne savaient pas, continua-t-elle calmement, c'est que, cet été-là, j'avais des ailes dans les plis de ma robe et que je courais vers un homme honni par les habitants du village.

Son père lui-même avait prévenu ses deux fils en ne ménageant pas ses paroles: «C'est un mécréant, avait-il tonné, un oiseau de passage qui envahit puis détruit les nids bâtis par les autres.» Et il avait ajouté d'une voix sourde: «Ce Gabriel est un sans-terre, un sans-patrie, un sans-attache, qui ne fait que bourlinguer de port en port. On l'a vu sur les quais de Rimouski, de Matane, de Gaspé et, croyez-moi, les filles à marins ont fait tanguer sa barque plus souvent qu'à son tour.»

Ces paroles cruelles prononcées par la voix pesante de son père lui avaient broyé le cœur. Mais elle n'en croyait

rien, et d'ailleurs elle, Flora, à force d'amour, transforme-
rait cet homme.

Pour maquiller sa bravade, elle revenait du bois avec
des fruits sauvages pour les tartes de sa mère ou avec des
fleurs des champs qu'elle s'empressait de mettre en bou-
quet afin de décorer la table de la cuisine d'été.

Flora changea soudain de ton.

– Tu as sans doute remarqué la façon dont marchent les
garçons du village? Ils se tiennent la tête basse, l'échine
pliée, comme si l'unique réponse à leur unique question
allait sortir de leurs terres labourées!

– Tu exagères, Flora.

– Non, Marie. Gabriel, lui, levait la tête fièrement, son
dos était droit et ses yeux regardaient au loin. J'étais éblouie.

Elle avait donc décidé de le conquérir avant qu'une
autre femme – où qu'elle soit – ne s'en empare. Elle était
résolue à se poser sur la tête une couronne d'amour, soit-
elle d'épines! Elle sauverait cet homme contre lui-même.

Marie connaissait le caractère déterminé de Flora
autant qu'elle en connaissait les convictions profondes.
Elle savait aussi qu'elle avait connu l'ennui, la solitude et le
vif désir de changer de vie. Mais n'avait-elle pas joué dan-
gereusement avec l'amour, ballottée qu'elle était par les
souffles confondus du désir de partir et du désir d'aimer?

– Oui, Marie, c'est moi qui me rendais au bout de sa
terre qui, comme tu le sais, est isolée des autres terres du
village par un bois très dense. Personne ne pouvait nous
voir, ni savoir que j'étais là, avec lui.

Flora sentait encore dans tout son corps la brise de l'été
qui traversait les premiers jours de juillet et qui l'entraînait
vers Gabriel dans une course effrénée, passionnée, désespérée.

– C'est donc toi qui as couru après cet homme, fit Marie.

Tristement, Marie se remémora quelques expressions malicieuses sorties de la bouche même de Susannah. «Ce n'est pas étonnant, ce qui est arrivé à cette fille : à quinze ans, elle avait déjà la cuisse au galop.» Ou encore : «C'est une fille aux hommes, elle sent depuis longtemps le fagot brûlé.» Et plus sentencieusement : «Il y a ici même, au village, des filles qui courent à leur perdition…»

Non, Flora ne pouvait être de cette race de filles. Mais comment, pensait Marie avec angoisse, comment Flora, qui n'avait alors que dix-sept ans, avait-elle pu se démailler des rets de l'horrible filet jeté sur elle, jour après jour, par ce faux Gabriel ?

Déjà, une brassée de fleurs – marguerites, boutons-d'or, épilobes, iris sauvages – s'empilaient dans les bras de Flora qui continuait ses confidences.

– «Quitte ce village, me disait-il. Ne reste pas ici. Je te ferai connaître les villes, les habitants de ces villes, les commerces, les rues, les ports.» Il me prenait dans ses bras, m'attirait contre ses épaules et, je te jure, Marie, j'entrevoyais alors toute la beauté du monde.

Et, indiquant le ciel à Marie :

– Pendant ces trente jours d'amour et d'angoisse, le ciel était de ce bleu-là.

Puis, elle rappela à son amie les promesses claires-obscures de Gabriel qui la fascinaient autant qu'elles l'inquiétaient. Et ce vertige magnifique qui s'emparait d'elle alors qu'elle allait vers lui. Elle avoua :

– Je ne connaissais rien aux approches amoureuses et, pourtant, j'aurais voulu me fondre en lui, oui, Marie, me fondre à jamais en lui, pour partir – puisqu'il partait toujours.

Marie semblait effarouchée.

– Flora, je ne te reconnais plus dans ce que tu me racontes.

– Mais souviens-toi de Longfellow :

« Ils venaient regarder avec des yeux surpris,
Le soufflet haletant qui ranimait la braise,
Et dans l'effluve chaud ils causaient à leur aise. »

Elle était la braise. Lui la gardait dans l'effluve chaud de ses promesses. Il lui ferait quitter le village pour l'emmener vers l'amour et la liberté. Et elle, la petite oie blanche qui ne pensait qu'à migrer, se gavait de la terrifiante légèreté de ces paroles.

– Cependant, un jour, commença Flora…

Elle s'arrêta, ses yeux se durcirent et Marie sentit qu'une lointaine douleur meurtrissait le cœur de sa grande amie.

– Un jour ? fit Marie.

– Un jour, il me dit qu'« ici, à Saint-Alexis, dans ce village de frustes », on ne pourrait pas s'aimer librement, alors que nous avions le monde entier pour cacher notre amour.

« Cacher notre amour ? » Pourquoi ? Que voulait-il dire ? Elle qui avait toujours souhaité que l'amour qu'elle éprouverait pour un homme éclate naturellement devant tous.

Ce jour-là, il l'avait attirée tout près de son corps. « Abandonne-toi », disait-il, et son haleine chaude la brûlait jusqu'aux entrailles. « Cède, répétait-il. Viens avec moi. Tu n'as besoin de rien. Fuyons ce village pour ne plus y revenir. Nous partirons en secret pour vivre un grand rêve d'amour. »

Flora s'arrêta devant un carré de fleurs de trèfle dont les boutons, d'un rose bleuté, s'étaient arrondis et s'agitaient légèrement dans la brise du matin.

— Cette odeur sucrée, indéfinissable, qui embaume l'air, c'est le parfum des trèfles, déclara-t-elle.

Son ton était évasif.

« Elle s'esquive », pensa Marie.

Mais non.

— C'est dans ma chambre, continua Flora, que je reprenais mes esprits.

Elle s'installait là où, de la fenêtre, à travers l'échancrure des toits, elle pouvait voir les champs et le ciel qui se rejoignent jusqu'à l'infini. Elle réfléchissait aux rêves d'amour esquissés par cet homme qui s'appelait pourtant Gabriel, à ce risque d'« aimer sans engagement ni devant Dieu ni devant les hommes », comme il lui avait dit. Était-ce vraiment cela, la liberté de l'amour ? Fallait-il fuir et se cacher pour s'aimer ? Fallait-il, enfin, sauver cet homme contre lui-même ?

Ces questions qui la tourmentaient, elle les laissait entrer en elle lentement, dans la quiétude de sa chambre. Puis elle attendait que le silence fasse son œuvre, que surgisse une réponse, qui viendrait – elle en était sûre – du plus intime d'elle-même.

— Tu sais, Marie, l'âme finit toujours par émerger, même quand on est seule, désemparée et aveuglée par une fausse quête d'amour, car c'est de cela qu'il s'agissait.

— Flora...

Marie hésitait. Elle ne trouvait pas de mots pour exprimer son désarroi. Elle regardait le front haut et lisse de son amie, ses yeux graves, sa démarche assurée et, l'espace d'un moment pourtant, elle eut peur. Le prince des ténèbres n'avait-il pas traversé et même brûlé ces champs à travers lesquels Flora cherchait l'amour?

Cependant, Flora continuait à raconter...

C'était le 25 juillet. Son père et ses frères étaient revenus des champs, épuisés par les travaux accomplis sous un soleil ardent. Ce soir-là, la maison s'était engourdie rapidement. Elle était montée à sa chambre à l'heure où le soleil couchant éclaire les chemins du village. Elle se rappelait que la lumière jouait encore sur les flancs de sa commode de pin et que sa courtepointe recevait paresseusement la chaleur de la fin du jour. Le silence s'était installé. Un silence qui venait de plus loin que celui de la maison qui allait s'endormir.

– Marie, c'est à ce moment précis que j'ai perçu très clairement, avec un haut-le-cœur, crois-moi, le tissu de mensonges, d'illusions, de fausses promesses que Gabriel m'avait lancés en plein visage.

Flora avait le ton solennel qu'elle réservait aux grands moments de la vie. Elle poursuivit:

– J'avais de plus en plus honte devant le «non» timide que j'opposais humblement aux désirs de cet homme. Je me suis mise en colère. Contre lui. Et surtout contre moi-même.

Non, elle ne partirait pas. Non, elle ne fuirait ni sa famille ni son village. Elle ne se cacherait pas. Elle avait choisi la netteté de la clairière d'où l'on peut voir l'existence devant soi, et non les pénombres du bois qui étouffent l'amour dans l'opacité du rêve. Elle avait trouvé sa réponse. Elle déciderait elle-même de l'homme avec qui elle s'unirait pour la vie. Ce ne serait pas celui-là. Ce Gabriel n'était pas le sien. Il était fils de l'ombre; elle était fille du soleil.

Marie la regardait avec affection.

– Tu seras toujours pour moi Évangéline, la femme forte idéalisée par Longfellow, proclama-t-elle.

– Je ne suis plus jamais retournée à la lisière du bois, reprit Flora. Lui, il est reparti.

Les yeux de Marie interrogeaient toujours.

– Non, aujourd'hui, je ne partirais plus, dit Flora. Je suis responsable depuis deux ans des enfants de notre école et eux, justement, je veux les amener ailleurs, en les éduquant.

Et, se tournant vers Marie, sa très chère amie :

– Cette gerbe de fleurs sauvages, c'est pour toi, afin que, toutes les deux, nous rendions hommage au grand miracle de la maternité.

III

Flora n'avait pas tout dit à Marie. Son secret tout entier n'appartenait qu'à elle. Cependant, le 25 juillet avait bien été la date fatidique de la rupture.

La veille, Gabriel lui avait laissé entendre qu'ils pourraient tous deux, très discrètement, aller saluer sa vieille mère. Flora avait accepté, sachant que les hommes de la famille passaient la journée aux champs et que Susannah en profiterait pour écharpiller, c'est-à-dire découper, chez son amie Albertine, les fines bandes de tissu destinées à la trame des catalognes. Elle était donc libre.

Elle avait choisi de porter sa jupe en lin écru dont la fibre très fine moulait ses hanches et d'y ajuster le corsage bleu aux plis si finement ourlés qu'ils arrondissaient sa poitrine. Elle avait noué un ruban léger autour de ses cheveux et serré sa taille par un ceinturon doré. Curieusement lui étaient revenues alors quelques bribes de la complainte *La danseuse noyée* fredonnée si souvent par sa mère, Susannah.

« Non, non, ma fille, vous n'irez point danser.
Monte à sa chambre et se met à pleurer.
Son frère arrive dans un bateau doré.

[...]
Mets ta robe blanche et ceinturon doré. »

Elle avait rejeté du revers de la main, sur son front haut et déterminé, le fatalisme inscrit dans la chanson : « et les voilà noyés ». Et, rapidement, elle s'était mise à marcher à travers les grandes nappes de lumière qui inondaient les champs et qui la menaient vers Gabriel.

Il l'attendait. Il lui avait semblé qu'il la mesurait du regard, plutôt indifférent cette fois à ce qui l'entourait. Mais Flora, elle, avait été troublée par ses yeux à la fois fixes et perçants et, étonnamment, elle avait revu l'œil en biais de l'étalon excité qui piaffe d'impatience dans le champ des juments.

« Nous allons à la maison », avait-il lancé en la tenant fermement par le bras.

Ils avaient contourné la maison pour en éviter l'entrée qui donnait sur la route, avaient passé outre l'arrière de la maison pour se retrouver devant une porte basse dérobée aux regards par des rosiers sauvages.

« Entre, Flora », avait-il insisté, tandis que la porte déjà poussée s'ouvrait sur un lit aux draps blancs entrouverts.

Très vite, il lui avait cambré les reins, caressé les cheveux et elle avait senti sa main d'homme qui remontait le long de sa jupe et effleurait son corsage. « Cède », lui avait-il glissé à l'oreille alors qu'elle ne savait pas, elle ne savait plus, elle ne savait que répondre à cette haleine chaude et à ces bras rudes qui s'emparaient d'elle. Était-ce donc cela, un homme ? Était-ce cela, la passion dévorante qui prélude à l'amour d'une femme et d'un homme pour toute la vie ?

C'est alors qu'une inquiétude lui avait parcouru le corps jusqu'aux entrailles. Elle avait souvent senti que, dans ces champs où elle rejoignait Gabriel, elle oscillait entre le désir et le danger. Oui, elle avait voulu repousser les limites. Oui, elle s'était exposée au risque afin de quitter le village et, maintenant, la puissance d'un corps contre le sien la remplissait de terreur. Au fond d'elle-même, elle avait crié «non», remplie toutefois d'un désir plein de peurs inconnues, d'une angoisse sourde, d'un désarroi qui l'avait fait trébucher, affolée, sur un côté du lit. Et, pendant qu'il l'empoignait fortement et qu'elle sentait le devant de son corps terriblement près d'elle, une vague l'avait traversée. Ce n'était pas une vague d'abandon. C'était une vague violente de colère et de rage. De quel droit cet homme allait-il lui voler ce qu'elle considérait comme le plus intime, le plus secret, le plus précieux d'elle-même : son corps à elle, Flora Martin?

Malgré la peur qui lui transperçait la gorge, elle avait crié un «non» retentissant, regroupé ses forces et donné un coup de tout son corps contre ces cuisses et ces jambes qui l'écrasaient. Instinctivement, les mots de son père à l'égard de Gabriel lui avaient traversé l'esprit. «Mécréant», lui avait-elle craché au visage et, curieusement, ce cri l'avait délivrée. Elle venait de gagner.

Une fierté farouche s'était installée dans sa tête et dans tous ses membres. Elle était tout à fait dégrisée, sortie de l'ivresse des dernières semaines. Elle s'était mise debout devant lui et l'avait regardé en face, cette incarnation séduisante du faux amour. «Non, il ne prendra possession ni de mon corps ni de mon âme», se répétait-elle. Droite, sûre d'elle-même, elle avait proclamé, le regardant droit dans

les yeux : « Je ne me ferai jamais garrotter par un homme ! »
et, d'un ton ferme, elle avait continué posément, en accen-
tuant chaque syllabe de chaque mot, avant de fermer sur
lui la porte de cette chambre infâme : « Je choisirai moi-
même, tu m'entends, moi-même, l'homme que j'aimerai !
Et c'est à lui seul que je me donnerai. »

Dehors, les champs étaient silencieux et la peur l'avait
étreinte de nouveau. Le sang cognait dans ses tempes et,
affolée, elle s'était mise à courir tandis que son ombre
fuyait devant elle et que la cloche de l'église annonçait
midi. Ce n'est qu'en revoyant au loin la maison au toit
protecteur, bien ancrée dans le sol, qu'elle avait arrêté sa
course. Elle s'était laissée tomber, hors d'haleine, sur le
banc de bois adossé à la cuisine d'été. Les mots de la prière
Bless This House apprise de Maggie McLean, l'aïeule écossaise, lui étaient revenues spontanément aux lèvres :

« Bless this house, O Lord we pray,
Make it safe by night and day.
Bless these walls, so firm and stout,
Keeping want and trouble out.

Bless the roof and chimneys tall,
Let Thy peace lie over all.
Bless this door, that it may prove,
Ever open to joy and love. »

Et c'est une fois seule dans sa chambre qu'elle avait me-
suré la gravité du rapt intérieur auquel elle avait consenti
avec tant de légèreté. Elle était tombée dans les bras d'un
homme sombre venu d'un monde souterrain, rempli d'ex-

périences sensuelles auxquelles elle n'avait même jamais songé. Péniblement, elle en ressentait encore la brûlure comme une gifle en pleine figure. Ce secret, elle allait l'enfouir au plus profond d'elle-même. Jamais, non jamais, elle ne dirait à quiconque qu'elle avait failli ternir son âme et son corps. Dorénavant, elle serait, jusqu'au bout de sa vie, seule responsable de son destin.

La veille, les rayons d'un soleil en feu avaient caressé avec volupté les Squaw Cap, ces deux montagnes aux arêtes arrondies nommées affectueusement ainsi par les gens du village. Flora avait expliqué que les premiers Acadiens venus de l'Île-du-Prince-Édouard maîtrisaient mieux la langue anglaise que la langue française à leur arrivée dans le canton de Matapédia. Ces montagnes s'étalaient au loin, tout au fond des champs de culture, et, à la tombée du jour, lorsque les deux versants tombaient peu à peu dans la pénombre, elles prenaient la couleur du velours vert passant au noir.

– Quand le soleil traîne ainsi juste au milieu des Squaw Cap, c'est qu'il fera très chaud demain, avait prédit Joseph-Octave.

Et, se tournant vers ses fils :

– Il faudra veiller à ce que le bétail se mette à l'ombre du grand orme et que l'auge soit toujours remplie d'eau fraîche.

Cet arbre au feuillage très haut, solitaire au milieu du champ et dont l'ombre variait selon les heures, James l'avait admiré plus d'une fois. Et, pour lui, Joseph-Octave était aussi un orme, un patriarche fortement enraciné dans la terre, qui prenait soin des hommes et des bêtes, la tête haute au-dessus de la mêlée.

Ainsi, quelques jours plus tard, Flora invita Marie à venir s'asseoir dans le fournil, petit bâtiment rustique situé à quelques pas de la maison. Bâti sans fondations, sans double porte et fenêtre, le fournil, où l'on pendait au mur les chapeaux de paille et où l'on déposait par terre les sabots de bois pour les jours de pluie, offrait un refuge de fraîcheur lors des grandes chaleurs. Tout y était fruste et le plancher mal ajusté laissait passer le chant des grillons, dès la tombée du jour.

– Tu me parleras de Thomas? demanda Marie.

Flora lui en avait peu parlé. Marie savait cependant que, afin de fuir la déportation de 1755, certaines familles acadiennes s'étaient unies à la tribu des Micmacs et étaient disparues dans la profondeur des forêts. Leurs descendants, devenus métis, revenaient parfois s'établir dans les villages acadiens ou canadiens-français. Thomas était l'un de ceux-là. Il était le fils d'un coureur des bois acadien et d'une mère micmaque que l'on appelait, à Saint-Alexis, la «femme médecin». Elle connaissait toute la panoplie de médicaments indiens, qu'elle dispensait généreusement – avait dit Susannah à Flora – à tous ceux qui lui demandaient son aide.

C'est avec émotion, d'ailleurs, que Susannah avait fait voir à Marie, accroché dans les combles du grenier, le chapelet que lui avait offert Thomas. Il l'avait confectionné à même ces grains jaune-brun, à la forme allongée, qui poussent sur un petit arbre appelé justement « arbuste à grains de chapelet ». Ces grains, contenus dans une enveloppe très dure, présentent une perforation à chaque bout. «Les Indiens connaissent les plantes, avait commenté Susannah, et le chapelet de Thomas nous protège du tonnerre. »

Comme le temps était sec et chaud, les odeurs de bois, de foin coupé, de champs chauffés par le soleil pénétraient dans le fournil et Marie s'y sentit bien. Il lui sembla pourtant qu'un voile de tristesse assombrissait les yeux de Flora.

– C'est la première fois que j'entre ici depuis la disparition de Thomas et je voulais le faire avec toi, Marie.

Ils s'étaient assis si souvent, elle et Thomas, sur le seuil de cette porte. Susannah pouvait les voir – ce qu'elle désirait – mais ne pouvait les entendre. C'était pour eux deux un havre de paix.

Flora prit une grande respiration. Elle revoyait la silhouette haute de Thomas, son visage paisible au nez anguleux et aux pommettes saillantes, buriné doublement par le soleil des champs et par l'air vif des rivières. Elle l'avait rencontré à l'occasion de veillées et, chaque fois, elle s'était sentie dans le cercle lumineux d'un amour possible. Elle déclara :

– J'avais commencé à aimer Thomas. Et tu sais pourquoi ? La plupart des hommes du village ne savent ni lire ni écrire. Thomas, lui, savait et, à cause de cela, Marie, oui, tu m'entends bien, à cause de cela, j'ai éprouvé le désir violent de mêler mon corps au sien.

– Parle-moi encore de lui, répondit Marie pour qui la notion de l'amour était tellement plus simple.

– On aurait dit, continua Flora, que Thomas connaissait intuitivement l'ordre et le fonctionnement des choses. Les gens du village comptaient sur lui et l'engageaient autant pour attiser les abattis que pour repérer les eaux souterraines. Il était notre sourcier. Thomas comprenait l'eau et le feu. Et il s'est tragiquement noyé dans les eaux de la rivière Matapédia, sous un soleil de plomb.

Flora se leva brusquement. Elle regarda son amie jusqu'au fond des yeux.

– Marie, l'amour ne veut pas de moi!

Et à Marie qui voulait s'opposer:

– Écoute bien ceci…

Flora raconta que Thomas lui avait longuement parlé d'un gisement naturel de pierres dont les dalles lissées par le temps et l'eau avaient été laissées sur le rivage d'un affluent de la rivière Matapédia. Il savait qu'elle rêvait d'entourer de ces roches plates son carré de pivoines. Qu'était-il arrivé? Dans cet endroit sauvage, les eaux tournent si rapidement sur elles-mêmes qu'il faut faire du portage. Il avait plutôt choisi de remonter le courant, en canot, à travers les gorges profondes de la rivière. Pourquoi? Par défi? Par offrande d'amour? Que voulait-il découvrir, qu'avait-il à prouver? Souvent, il lui avait dit: «Flora, il faut mériter son saumon. Plus les eaux sont vives, plus le saumon est fort et sa chair savoureuse. Je t'apprendrai à connaître l'âge du saumon et le nombre de fois qu'il a quitté la mer pour revenir dans sa frayère, simplement par l'observation des écailles.»

Marie surveillait de l'œil son amie qui avait traversé des épreuves difficiles et qui, pourtant, en parlait calmement comme si elle en était maintenant détachée.

– On a d'abord retrouvé son long canot vert, complètement fracassé. Au fond, dans le panier à pêche, un énorme saumon aux écailles reluisantes, déposé – oh! Marie – sur ces roches plates, devenues pour moi, tu le comprends, les ardoises noires de la mort. Plus tard, on a repêché son corps, aspiré par les eaux tourbillonnantes d'une fosse à saumons. Thomas s'est noyé dans les eaux écumantes d'un immense gouffre, là où les saumons tournent en rond avant de sauter. Ce sont mes deux frères, Léonard et Jérôme, qui l'ont repéré, ramené sur la berge et placé sur le dos, les deux bras en croix, comme un papillon mort, mouillé, épinglé sur un mur de roches.

Marie mit sa main sur celle de Flora tandis que cette dernière poursuivait :

– J'ai regardé longuement son visage aux yeux clos. J'ai touché sa poitrine gonflée de noyé, sa bouche fermée pour toujours. Je suis restée longtemps dans un face-à-face avec Thomas, mort, pendant que les gens du village se disaient les uns aux autres que « la rivière était grosse encore des dernières pluies », que « le canot de Thomas avait dû se trouver soudainement devant un petit portage », ce cours d'eau impétueux et tourbillonnant qu'on a soudainement devant soi après une courbe lorsqu'on remonte la rivière. Étrangement, Marie, j'ai remarqué que la rivière avait gardé son reflet argenté et que des odeurs fraîches de mousse et de résine nous enveloppaient tous deux : lui, mort, et moi, laissée là dans le vide.

Marie se taisait. Elle respectait ce moment de silence où s'entremêlaient le double deuil d'un premier amour bafoué et d'un deuxième amour dévasté. Mais Flora reprenait la parole :

– Pour l'instant, confia-t-elle à son amie, je résiste à Susannah et Joseph-Octave qui me pressent de trouver un mari. Ils ne veulent surtout pas me voir « coiffer sainte Catherine ».

À la grande surprise de Marie, Flora se mit à rire de bon cœur. Cette dernière avait rappelé à ses parents que Catherine d'Alexandrie, transformée par la légende en patronne des filles à marier, avait au contraire choisi elle-même son destin. Fille du roi d'Alexandrie, intelligente et belle, elle avait refusé, en tant que chrétienne, d'épouser Maxence, un empereur païen, qui l'avait alors condamnée à mort. Et, d'un même souffle, Flora avait précisé à ses parents que jamais elle n'épouserait un homme dont l'œil ne voyait pas plus loin que le bout de sa terre.

Marie répliqua en riant :

— Tout au moins, on ne te fera pas subir le supplice de la roue !

— Et on ne me coupera pas la tête ! ajouta Flora.

L'atmosphère s'était allégée. Les murs fendillés du fournil laissaient passer des stries de lumière et Flora ressentait dans tout son corps les souvenirs logés dans cet espace rustique que, ensemble, elle et Thomas avaient apprivoisé. Dans un profond soupir de délivrance, elle confia à Marie :

— Cet homme m'a apporté la paix du cœur.

— Mais, chère amie, chère Flora, tout ce temps qui passe, ta jeunesse, la vie qui te coule entre les doigts…

— J'attendrai. J'ai réussi à donner un sens à ma vie. Enseigner aux enfants m'apporte un grand bonheur. Et tu as remarqué, l'autre jour, l'alignement des fioles ambrées dans la cuisine d'été ? Elles sont pleines de plantes médicinales cueillies d'après les conseils de Thomas qui, lui, les reconnaissait au premier coup d'œil. « Le grand Maître de l'Univers n'a rien jeté à l'aventure », disait-il.

Ensemble, ils avaient trouvé l'herbe de la Saint-Jean, écrasé des feuilles de géraniums, fait bouillir l'extrémité des branches d'épinettes blanches, mélangé le gingembre sauvage à l'herbe jaune que les Micmacs appelaient la savoyane, afin de soigner l'eczéma, les inflammations et la fièvre.

En souriant, elle raconta ce jour où Thomas l'avait menée à la conquête de la pulmonaire, plante dont les feuilles, lui avait-il assuré, imitaient la forme des poumons. Elle avait ainsi appris que les taches blanchâtres que l'on voit sur les feuilles de la pulmonaire sont en quelque sorte les «signatures» de la plante. «Flora, tu pourras soigner les rhumes des enfants de l'école, tu vois, la plante te le dit.»

– Grâce à ces plantes et à ces herbes, j'apprends à soulager les gens qui souffrent. J'aimerais tant, Marie, comprendre les méandres mystérieux du corps et de l'esprit. Et puis, soigner les gens met un baume sur mon cœur et calme mon inquiétude de vivre toute une vie sans rencontrer l'amour, le vrai.

Marie observait le grand front intelligent de Flora, ses yeux qui suivaient au loin, aurait-on dit, des lignes d'avenir, quand celle-ci ajouta, en baissant la voix – car elle savait que Susannah aimait tendre l'oreille – mais avec fermeté :

– Je ne veux pas subir ma vie comme le font trop de femmes ici. Je sais que, lorsque j'aurai trouvé par moi-même et en moi-même les raisons que j'aurai d'aimer, je trouverai aussi l'homme qui voudra, avec moi, inventer une vie faite d'amour et de liberté.

Marie devinait que Flora, derrière son attitude de défi, gardait pour elle ses souffrances. Plusieurs fois, elle avait failli lui parler d'un séjour possible à Boston, mais elle s'était tue. Son union avec James était encore toute fraîche, pouvait-elle prendre le risque d'introduire dans son foyer une jeune femme aussi intelligente que farouche et passionnée ?

IV

Les années avaient passé. Les deux amies s'écrivaient fidèlement et, un jour, Marie eut l'intime conviction que Flora devait venir à Boston. Avec l'accord de son mari, elle avait envoyé cette lettre disant qu'on avait «besoin d'elle avant qu'il ne soit trop tard». Après de multiples discussions avec ses parents, supplications, remises en question, moments où elle pouvait souvent déceler de la tristesse dans les yeux de son père et de l'entêtement sur le visage de sa mère, Flora était partie, convaincue qu'elle sauverait l'héritage français des enfants de Marie Bastarache et qu'elle trouverait peut-être, aux côtés du D^r McLean, les premiers germes de son épanouissement personnel.

Marie lui avait envoyé par la poste quelques livres situant l'histoire et l'ambiance de la ville de Boston. Flora avait tout lu et se rappelait avec une certaine douleur que cette ville, berceau des États-Unis, née d'une soif de liberté, qui avait servi de refuge aux victimes de persécutions religieuses et alimenté le rêve d'un monde meilleur, était pourtant tombée elle aussi dans cette intolérance qu'elle ne parvenait pas à comprendre. Elle pensait à ces puritains qui, chassés de l'Angleterre anglicane en raison de leurs croyances religieuses, avaient refusé à d'autres la liberté de religion. C'est ainsi que de nombreux baptistes avaient été fouettés en public, des quakers pendus, des femmes, prétendument considérées comme sorcières, exécutées.

Flora était également incapable d'accepter que, aux États-Unis comme au Canada d'ailleurs, on ait imposé la foi des Blancs aux Indiens en les obligeant, de surcroît, à renoncer à leurs coutumes et traditions plusieurs fois centenaires. Pourtant, partout en Amérique, la grande famille des premiers occupants, vivant sur ces terres depuis au moins cinq siècles, avait accueilli les nouveaux arrivants, leur avait transmis des moyens de subsistance et même des façons de se soigner et de se guérir.

Qu'avaient reçu ces tribus en retour? Des invectives, des provocations qui tournaient en batailles. Les colons venus d'ailleurs, voulant dans leur ambition agrandir leur soi-disant territoire, avaient lutté contre les chefs indiens, incendié les wigwams, massacré femmes et enfants, décimant ainsi ces tribus qui leur avaient été si hospitalières. Oui, ici comme en Nouvelle-France et sur les vieux continents, on avait tué plutôt que de respecter les droits et libertés. Pourquoi ces guerres, pourquoi ces massacres constants plutôt que le respect de la grande fraternité humaine?

On annonça que le train entrerait à Boston dans une heure. De son sac de voyage, Flora sortit en souriant le charmant *American Notes* de Charles Dickens, car elle voulait se refaire le cœur. N'écrivait-il pas, au sujet de Boston :

« Quand je suis descendu dans la rue en ce dimanche matin, l'air était si limpide, les maisons étaient si éclatantes et gaies; les enseignes affichaient des couleurs si vives ; les lettres d'or étaient si vermeilles ; les briques étaient si rouges, la pierre était si blanche, les persiennes et les rampes étaient si vertes, les poignées et les plaques des portes de la rue étaient si merveilleusement polies et scintillantes… »

La locomotive se vida de ses derniers halètements. Les voyageurs retrouvèrent avec fébrilité leurs bagages et, portée par la vague humaine, Flora s'engagea dans un large escalier qui menait à la salle des pas perdus de la South Station de Boston. « Elle est immense », l'avait prévenue Marie, qui savait son amie davantage habituée aux humbles petites gares de bois comme on en trouvait ici et là dans les villages de l'Acadie et de la vallée de la Matapédia. Flora relevait fièrement la tête pour chasser l'inquiétude sourde qui la pénétrait quand un *Hello Flora* retentissant et joyeux fut lancé par nul autre que James qui, déjà, la serrait dans ses bras.

– Flora, il faut rester ici, exactement là où je vous laisse, pendant que je vais récupérer vos bagages.

Elle le vit partir, rapide, élégant, tandis que, autour d'elle, des gens passaient en s'interpellant gaiement. L'espace de quelques secondes, elle éprouva un sentiment de gêne à cause de sa longue jupe fripée et de ses cheveux défraîchis. Et peut-être même à cause de son allure campagnarde, car plus le train s'était rapproché de Boston, plus elle avait entrevu aux débarcadères des hommes et des femmes habillés autrement que les gens de son village.

Ils quittèrent bientôt la gare et James vit que Flora regardait avec étonnement les rues qui se succédaient, les maisons, les jardins, au point d'en rester muette. Oui, elle était éblouie à la vue de ces élégantes demeures de briques bordées de colonnes, aux toits très hauts et aux larges fenêtres. Ce que James ignorait cependant, c'est que Flora voyait se profiler, derrière ces majestueuses résidences de la Nouvelle-Angleterre, l'image familière des maisons de son village, en bardeaux de cèdre, aux pignons percés d'une seule lucarne, où les femmes s'installaient à la lumière du jour pour filer, tisser, coudre et raccommoder les vêtements usés. « Pour ravauder », disait Susannah. Et, soudainement, son corps et son cœur s'effondrèrent jusqu'à vouloir crier de douleur. Qu'était-elle donc venue faire dans cette ville qui, déjà, l'étourdissait ? Elle avait quitté sa famille, son foyer, son école, son village. Pendant que toutes ces pensées défilaient dans son esprit, elle entendait, comme à travers une corne de brume lointaine, James lui dire :

— Ces maisons, Flora, sont dites de style géorgien, à cause des trois George qui se sont succédé sur le trône d'Angleterre.

Puis, il fit un détour pour lui montrer le plus vieux jardin public de Boston.

— C'est le Boston Common dont les puritains, au XVIIe siècle, se servaient pour les pâturages, les exercices militaires et surtout, hélas, comme d'une scène publique où l'on pendait les quakers, les pirates et, bien sûr, les sorcières. La morale était si stricte à l'époque qu'on avait dressé un pilori dont la première victime fut le constructeur lui-même, car on prétendait qu'il en avait exigé un prix trop élevé !

Flora sourit à cette histoire extravagante de fanatisme puritain tout en admirant ce parc qui, jadis lieu de honte, ressemblait maintenant à une vaste étendue de verdure. James enchaîna :

– Vous pourrez venir marcher en toute tranquillité dans ce parc entouré d'arbres. Ici, ce n'est pas comme en Nouvelle-France où l'un de vos gouverneurs – lequel donc, Flora ? – obligeait tous les colons de Ville-Marie à traîner constamment avec eux leurs mousquets, car derrière chaque arbre pouvait se cacher un Iroquois !

Il la taquinait puisqu'il la sentait quelque peu désemparée. Pourtant, Flora esquissait un demi-sourire en se souvenant des encadrements en bois mince suspendus aux murs de l'école et dont les illustrations étaient reliées à l'histoire des fondateurs du Canada. On y voyait la figure forte du comte de Frontenac, gouverneur de Montréal, dont l'allure solennelle et altière avait réussi à intimider les tribus iroquoises. Apparaissait enfin Paul Chomedey de Maisonneuve, qu'elle s'empressa de nommer à James.

– Ce gentilhomme français, très chrétien, poursuivait un projet d'évangélisation dont ne voulaient pas les tribus iroquoises. Envers et contre tous, il se montra déterminé à fonder une ville sur l'île de Montréal « quand tous les arbres de cette île devraient se changer en autant d'Iroquois ». Voilà, cher James, la vraie version historique !

Il se réjouissait car, il en était sûr, Flora et lui allaient joyeusement croiser le fer. Cependant, voilà que Flora était redevenue songeuse.

Elle ressentait un certain malaise à fouler le sol de Boston alors que tant d'hommes étaient partis d'ici – bien avant la déportation de 1755 – pour attaquer l'Acadie. Elle avait particulièrement en horreur Sir William Phips. Né en Nouvelle-Angleterre, d'origine modeste, Phips avait réussi à épouser une veuve fort riche et à récupérer un trésor enfoui dans la cale d'un navire espagnol coulé au large des côtes d'Haïti.

Devenu à son tour riche commerçant et propriétaire de bateaux qui mouillaient au port de Boston, Phips avait accepté la direction d'une expédition contre l'Acadie. Bien avant Lawrence et Winslow, qui avaient forcé les femmes et enfants acadiens à apporter des vivres à leurs maris ou pères que les soldats anglais retenaient à bord des bateaux, Phips avait convoqué tous les hommes dans l'église de Port-Royal. Les menaçant de les faire tous prisonniers de guerre, il avait voulu les forcer à prêter le serment d'allégeance au roi d'Angleterre. C'était en 1690 et, la même année, Phips avait assiégé Québec. Se tournant vers James, Flora ajouta :

— Vous qui aimez les tirades historiques, voyez la superbe réplique lancée par le gouverneur Frontenac à l'émissaire que Sir William Phips avait chargé de demander la reddition de Québec : « Dites à votre maître que je lui répondrai par la bouche de mes canons ! » Quel caractère robuste devant la félonie de M. Phips, ne trouvez-vous pas ?

Flora s'enflammait, sa voix tremblait à la fois d'indignation, de fierté et peut-être de fatigue. James ne lui mentionna pas que ce même Frontenac avait lancé ses troupes lui aussi contre les villages frontaliers de l'État de New York et de la Nouvelle-Angleterre. Il regrettait simplement que les conflits incessants entre les couronnes de France et d'Angleterre aient provoqué de telles secousses de haine et de vengeances sanglantes entre les colonies françaises du Canada et les colonies anglo-américaines. Joyeusement, il interpella Flora :

— Il faut quand même remercier l'histoire, qui nous a rendus encore plus cousin et cousine, Flora. Éric le Rouge et ses Vikings, Christophe Colomb et John Cabot ont débarqué sur vos côtes et les nôtres presque en même temps. Nous sommes du même flanc historique!

Visiblement heureux de son trait d'esprit, il annonça avec bonne humeur:

— Regardez bien au détour de cette rue. Tout au fond se trouve une maison, la nôtre, qui sera aussi la vôtre, et voyez, voyez, qui est cette femme qui vous attendait et qui vient déjà vers vous...

Marie et Flora s'étaient élancées dans les bras l'une de l'autre.

— Flora, tu es venue!

— N'est-ce pas un peu fou?

— Non, non, tu te souviens: «On a besoin de toi avant qu'il ne soit trop tard.» Mais viens te rafraîchir et rencontrer les enfants!

Comme elles avaient parlé pendant ces deux années! Jusqu'à en perdre le souffle, comme s'il fallait semer de toute urgence, au cas où des vents politiques violents en viendraient à tout détruire. Pourtant, on ne pouvait plus «déranger» ce peuple acadien éparpillé jusqu'aux côtes de la Nouvelle-Angleterre; on ne pouvait plus vaincre ces habitants du Canada obligés de capituler à la suite de l'indifférence et de la négligence de la France. On appartenait maintenant et pour toujours à l'Angleterre.

«Des possessions britanniques? Jamais nous ne serons possédés si nous luttons pour garder nos racines françaises, si nous luttons pour solidifier notre langue. Nos racines? On doit les amarrer autour du roc inébranlable de notre amour pour la France», se disaient-elles avec enthousiasme tout en se demandant pourquoi on les aimait encore autant, ces Français de France qui avaient été «incapables de nous garder et de nous sauver, comme une mère patrie aurait pourtant dû le faire».

Cet abandon, qu'elles n'avaient pas voulu, les mettait toutes deux en colère. Marie dénonçait «l'infâme» traité d'Utrecht qui, dès 1713, avait cédé l'Acadie française à l'Angleterre. Flora accusait la France d'être l'auteure d'un «infanticide historique». N'avait-elle pas cédé, cinquante ans plus tard, «sa» Nouvelle-France à l'Angleterre? «On nous met au monde, on nous abandonne et on nous expose à mourir», concluaient-elles.

Il est vrai que la Nouvelle-France n'avait pu fournir aux rois de France les «riches choses» que, déjà, François Ier avait réclamées de Jacques Cartier. Nos grands espaces ne contiennent «ni or rutilant, ni épices odorantes mais que de la pyrite de fer et des peaux de castor», se disaient-elles en riant.

— Et la pyrite n'a de doré que ses reflets, ajouta James qui les rejoignait. D'ailleurs, les lambris d'or des rois étaient sans doute plus chatoyants qu'une cabane de bois rond au Canada, n'est-ce pas, Flora? Et de plus, «votre» Louis XIV n'a-t-il pas simplement voulu mettre fin à la guerre de la Succession d'Espagne en signant le traité d'Utrecht?

— Oui, je sais, coupa Flora. Le traité d'Utrecht renferme des mots... comment dire? Des mots... pénibles? Odieux? Hypocrites? Ignobles? Oui, je ne le sais que trop, continua-t-elle en martelant la formule cynique contenue dans le traité de 1713: «Le Roi Très Chrétien devra livrer à la Reine de Grande-Bretagne l'Acadie toute entière, comprise en ses anciennes limites...»

— Justement, les anciennes limites n'ont jamais été clarifiées, ni par la France ni par l'Angleterre, ajouta Marie.

— Il n'est donc pas étonnant que les Acadiens ne savaient plus s'ils appartenaient toujours à l'Angleterre ou si, reprit Flora avec fougue, un nouveau traité, à la suite des guerres incessantes, ne les rendrait pas à la France.

— Alors, le serment d'allégeance, continua Marie en faisant comme si elle le balayait de la main…

James souriait quand elles invectivaient ainsi l'histoire. Lui, il avait tourné la page.

— C'est vers l'avenir qu'il faut regarder, mesdames!

Oui, l'avenir. Comme Marie et Flora s'étaient juré d'enfoncer dans le cœur et la tête des jeunes — et jusqu'à la moelle de l'âme — les racines françaises, la mère annonça aux deux garçons de six et huit ans que, dorénavant, on ne parlerait que français aux repas et que chaque soir une légende, un fait historique, un conte leur seraient narrés en français, par Flora ou elle-même.

— Par Flora, par Flora! crièrent de joie les enfants.

Les McLean habitaient une grande maison traversée en plein milieu par une imposante cheminée en briques rouges, autour de laquelle étaient disposées quatre pièces à chacun des étages. Les parois intérieures, les parquets aux larges planches, la façade percée de fenêtres à carreaux, le toit qui, à l'arrière, descendait en pente vers le sol, tout cela était en bois, matériau cher au cœur de Flora. Elle s'y sentit bien.

On lui avait assigné une chambre lui assurant sa part d'intimité, qui jouxtait celle des enfants. La maison, bâtie en planches à clins peintes d'un blanc éclatant, faisait tache de lumière à travers le feuillage encore vert des arbres qui l'entouraient. Elle était prolongée sur le côté gauche par une dépendance. C'était le bureau du Dr James McLean et Flora y travaillerait jusqu'au retour de l'école des enfants. «Ainsi, je me sentirai utile à tous», avait-elle déclaré.

Les deux garçons, Alexis et William, étaient vifs et turbulents. Déjà, ils étaient venus, en se bousculant, présenter à Flora leur berger écossais à la fourrure blonde et abondante, qui répondait au nom de Shetland.

– C'est un colley, Flora. Il faut le caresser en glissant les doigts sous le poil dur, là où le pelage devient doux. C'est comme ça qu'il est content!

Rapidement, Alexis avait établi les différences entre les quatre races de chiens écossais: les scottish-terriers, les colleys, les deerhounds et les setters, tandis que William en rajoutait en affirmant que Shetland, bien sûr, était le meilleur. Et, sans plus de transition, le garçon avait demandé:

– Dans votre village, il y a des colleys, Flora?

Elle avait expliqué que, à Saint-Alexis, les chiens étaient d'abord dressés pour être utiles et qu'ils vivaient en plein air afin de surveiller la maison, les bêtes et les bâtiments. Les uns, attelés l'hiver à un traîneau, transportaient les enfants à l'école. D'autres – surtout les bergers allemands – couraient dans la roue de bois qui, une fois mise en mouvement, faisait tourner les ailes du moulin afin que l'eau monte du puits.

Alexis et William avaient agrandi les yeux de surprise et d'émerveillement.

– Racontez encore, Flora, s'il vous plaît!

Flora avait regardé ces deux enfants nés de l'amour entre Marie Bastarache, l'Acadienne, et James McLean, l'Écossais.

«Comme ils sont beaux», avait-elle pensé en observant leurs cheveux coupés court et leurs yeux rieurs. Toutefois, un sentiment, qu'elle considérait comme étrange, lui revenait. Elle trouvait en effet étonnant que des enfants grandissent dans des villes dont les demeures semblaient froidement déposées sur un sol uni, alignées l'une près de l'autre sur des rues rectilignes et dénudées. Dans son village de Saint-Alexis, les maisons étaient accroupies lourdement et leurs murs avaient toute cette terre brune autour et derrière eux. Elles respiraient comme les autres êtres de la nature, solidaires qu'elles étaient de la montagne et des eaux qui en travaillent le sol. Mais ici, en ville?

Les enfants des villes comme Alexis et William, se demandait Flora, ont-ils déjà humé, jusqu'au fond des poumons, le parfum tiède de la terre à peine sortie des neiges de l'hiver? Connaissent-ils les joies d'imaginer l'été qui va venir, penchés sur des rigoles d'eau charroyant du sable et des roches scintillant au soleil? Et le vent d'ouest, courbant les tiges de foin et de blé comme une caresse sur les jambes? Les courses pleines de rires, pieds nus dans les flaques de boue réchauffées par la pluie de l'orage? La respiration apaisante de la maison de bois sous la poudrerie d'hiver? Alexis et William, enfants de la ville, pouvaient-ils éprouver ces vibrations séculaires qui lient les enfants des campagnes aux bêtes et à la terre?

– Racontez, Flora, racontez!

Elle avait raconté la courbe de l'infini ciel bleu qui arrondit la ligne d'horizon autour du village pendant que le troupeau de vaches, ramené par leur chien noir, hirsute et sans race, répondait à la mélopée rythmée du «quévach-qué» scandé par ses deux frères.

– Devinez ce que veut dire ce mot, avait-elle dit en souriant, tout en leur racontant que ses frères, encore enfants,
devaient aller au bout du champ afin de ramener les vaches
pour la traite. Dès qu'ils s'attardaient, notre mère Susannah
sortait la tête et, toujours en deux temps, lançait en écono-
misant ses mots : « quérir les vaches… qué' vaches… » Léonard et Jérôme obéissaient enfin, escortés par le chien qui
s'était habitué au raccourci « quévachqué » inventé par les
garçons.

– Jouons à « quévachqué », s'étaient-ils exclamés en dé-
guerpissant, Shetland sur leurs talons.

Les lieux et rites familiaux, si chèrement aimés, as-
saillaient sans cesse Flora. Pourtant, elle avait envisagé ce
travail à Boston comme une expérience libératrice, comme
une façon de retrouver son équilibre intérieur écorché à vif
par l'amour trompeur de Gabriel et par l'amour tragiquement perdu de Thomas. Marie et James s'étaient trouvés,
eux, et s'étaient liés l'un à l'autre pour la vie. Pourquoi eux
et pas elle, jamais elle ?

Marie l'intriguait. Elle l'admirait. Où qu'elle soit, où
qu'elle aille, de sa seule présence se dégageait une forme de
bonheur. Proche de la vie telle qu'elle se présentait, elle
posait des gestes simples au rythme des besoins de chacun.
Elle ne semblait ni dispersée ni obsédée, tout au contraire.
Lisse, transparente, patiemment attachée au moment pré-
sent, elle portait une égale attention aux détails mineurs
du quotidien comme aux grandes questions de la vie. « Son
esprit et son corps sont unifiés par l'amour que lui portent
James et les enfants », pensait Flora.

Malgré son esprit rationnel et sa tendance à tout intel-
lectualiser, même les événements les plus simples, Flora

croyait pourtant à ce qu'on appelle des rêves. Bravement, elle tentait de les fixer dans ses certitudes. «Cet homme à aimer, cet homme selon mon cœur, je le trouverai. Il viendra. Je le reconnaîtrai. »

Elle réalisait cependant que, en cette fin du XIXe siècle, elle était en rupture avec son temps et avec cette longue accoutumance que l'on appelait la condition naturelle des femmes. Ici, dans la ville de Boston, dans la clinique du Dr James McLean, elle pourrait étudier les fonctions du corps humain, apprendre à soigner, afin de pouvoir elle aussi s'occuper des malades, où qu'ils fussent. Un homme ouvert comme Thomas aurait accepté une telle démarche. Mais l'autre, l'inconnu qu'elle croiserait au carrefour, y consentirait-il? Cet homme pouvait-il être préparé à sa manière à elle de penser? Et, surtout, accepterait-il qu'elle soit différente et qu'elle veuille s'exprimer autrement? Que fallait-il donc, se demandait-elle, pour rester une femme forte intellectuellement et en même temps une femme aimée?

Elle avait toujours vu son père, Joseph-Octave, peser la valeur morale de ses actions et de ses paroles avant de parler et d'agir. Elle devait, elle aussi, se réserver des temps de réflexion. Être déterminée, vouloir apprendre, tout en demeurant fidèle à ses aspirations. Dans quelques semaines, les enfants rentreraient à l'école. Elle commencerait à travailler à la clinique comme assistante du D^r McLean. Elle entrerait dans le domaine médical dont elle avait toujours rêvé sans attendre que l'évolution des mentalités lui en ouvrît les portes. Elle dirigerait sa vie selon ce qu'elle était, elle, Flora Martin.

V

De la cuisine fusaient des rires complices et des parfums odorants. Marie et Flora remplissaient de pâtés, de tartinade et de gâteries le large panier d'osier dont la vannerie blonde était retenue par de fines lanières de cuir. Flora avait mis au four des galettes blanches comme celles que sa mère préparait pour le déjeuner du dimanche et qu'elle fourrait de minces tranches de lard salé.

— Nous y mettrons plutôt du jambon fin, avait dit Marie, et surtout n'oublions pas le thé pour nous et le whisky pour James. Mais où est donc le flacon ?

— « Qu'importe le flacon, pourvu qu'on ait l'ivresse ! » chantait l'intéressé qui toujours, mine de rien, jetait l'œil sur tout ce qui se passait dans cette maison et qui déjà annonçait triomphalement la nouvelle : Alexis, William, Shetland, venez, nous partons pique-niquer sur l'herbe !

C'est ainsi que toute la famille s'était retrouvée au Boston Common, l'un des plus vieux jardins publics d'Amérique. James prenait déjà la parole afin, disait-il, d'instruire « Flora, la Canadienne ».

— Ce parc immense, commença-t-il, est situé sur une partie des cinquante acres arrachés par les colons puritains à un vieil ermite du nom de William Blackstone en 1634.

« Un siècle après que Jacques Cartier eut découvert le Canada, pensa Flora. Combien d'hommes, de femmes, de familles avaient donc, si intensément, désiré l'Amérique ? »

C'était la fin d'août. La nature s'attardait langoureusement dans l'été et, quand on posa la nappe rouge à carreaux sur l'herbe verte, Flora, heureuse, sentit qu'elle faisait partie de la famille. Comme elle les aimait !

Chacun leur tour, Marie et James lui parlèrent du Common.

— Vers 1745, raconta James, trois cents jeunes filles s'installèrent ici derrière leur rouet afin d'encourager les femmes au travail et à l'économie. Qu'en dites-vous, mesdames ?

— Puis, on parla d'Amelia Bloomer qui, dans sa croisade pour inciter les femmes à porter le pantalon, se promenait au Common vêtue des premières culottes bouffantes, les bloomers !

— Les bloomers ? Mais je connais ! s'était écriée Flora tout en se gardant bien de dire que, lorsqu'elle était petite, Susannah lui en confectionnait dans le tissu des sacs vides de farine dont le coton était si rude qu'il fallait le faire bouillir de longues heures avant de pouvoir l'utiliser.

— Je vous parie, dit-elle, que, actuellement au village, les bloomers dansent sur les cordes à linge, car les récoltes sont finies et, dans toutes les maisons, on entreprend la corvée du grand lavage d'automne. On lave tout ce qui a servi pendant l'été pour travailler aux champs et l'on accorde des soins particuliers au linge de corps. Et, croyez-le ou non, les jeunes filles de la maison n'ont pas le droit de toucher au linge de corps des hommes. C'est la mère seule qui doit le faire !

On souriait en se rappelant les scrupules obstinés de Susannah, tout en regardant au loin se profiler le Beacon Hill, là où on avait jadis installé des lanternes pour alerter la population en cas d'attaque.

– En cas d'attaque ?

– Oui. Afin de renflouer ses coffres, l'Angleterre avait prélevé un droit de douane sur le thé, ce qui provoqua une frustration générale chez les marchands coloniaux. Défavorisés par cette taxe, ils se regroupèrent pour former l'alliance des Fils de la liberté et organisèrent le fameux Boston Tea Party. Déguisés en Indiens, ils envahirent le port de Boston, prirent d'assaut les trois navires exportateurs et jetèrent par-dessus bord la totalité des caisses de thé anglais qu'ils contenaient. Les Bostoniens prétendent que ce geste marqua le début de la guerre de l'Indépendance américaine.

– Et les lanternes ? demanda Flora.

– Eh bien, l'Angleterre réagit, ferma le port de Boston, suspendit toutes ses activités commerciales et l'on apprit que des soldats britanniques assiégeraient Boston. On installa donc sur la colline de Beacon Hill les lanternes qui serviraient à prévenir les Bostoniens en cas d'attaque.

– Ah ! toutes ces guerres, soupira Marie, et pourtant, aujourd'hui, notre bonheur si simple s'est arrêté à travers les cris de joie des enfants et...

Marie se tourna alors vers James qui, repu, somnolait allongé dans l'herbe. Flora suivit son regard et entendit son cousin murmurer :

« If the British march
By land or sea from the town to-night,
Hang a lantern aloft in the belfry arch
Of the North Church tower as a signal light, —
One, if by land, and two, if by sea;
[...]
Ready to ride and spread the alarm »

Et, malicieusement :

— Il n'y a pas que vous deux qui connaissez les poèmes de Henry Wadsworth Longfellow !

Elles le regardèrent en souriant. Flora aperçut des mouvements saccadés derrière les paupières closes de James et en ressentit une émotion aussi soudaine qu'imprévisible. Elle se surprit à observer le visage serein de son cousin, ses mains longues et fines posées sur sa poitrine, ses jambes fortes sous le pantalon de toile dont elle pourrait doucement, avec les doigts, faire le contour. Elle eut honte. Elle s'imprégna rapidement de l'idée que James était tout simplement un de ces êtres créés par Dieu pour célébrer l'amour et la vie. Et elle pensa aussi aux racines des arbres qui s'enlacent aux fils des jours, dans une étreinte.

— Flora, nous t'avons préparé une surprise, lui disait cependant Marie. James s'occupera des garçons et, toutes deux, nous partons justement à la redécouverte de Longfellow.

Longfellow. Lui revinrent en mémoire la fine chemise blanche qui ondulait sur la peau hâlée de Gabriel, les jupes d'indienne de ses dix-sept ans qui, coupées à la cheville, lui permettaient des chevauchées à la fois passionnées et désespérées pour l'amener, à travers l'air caressant de juin, vers lui, l'homme des promesses qui pousserait l'horizon du village afin qu'elle puisse en sortir.

Marie, enthousiaste, n'arrêtait pas de parler.

— Je t'amène d'abord dans la maison où Longfellow a vécu pendant près d'un quart de siècle. Il y a écrit la plupart de ses œuvres, dont *Evangeline : A Tale of Acadie*. Tu y verras sa table de travail, sa plume d'oie et son encrier. Tu te souviens comme nous étions toutes deux amoureuses de lui et de ses poèmes ?

Mon Dieu, comme elle s'en souvenait !

Tout en marchant, elles se mirent à fredonner à mi-voix la chanson acadienne inspirée par le poète :

« Je l'avais cru ce rêve du jeune âge
Qui, souriant, m'annonçait le bonheur
[…]
Il est si doux, au printemps de la vie,
D'aimer d'amour les amis de son cœur… »

« Aimer d'amour les amis de son cœur. » Cette fois, ce fut le visage de James qui apparut à Flora. Une vision fugitive, immédiatement niée, le tout dans une aura d'irréalité – la peur, celle-là même qu'elle avait éprouvée toute jeune sur le steamer quittant l'Île-du-Prince-Édouard pour la vallée de la Matapédia. Maladroitement, elle eut un cri de souffrance.

— Marie, qu'est-ce que je fais sur cette terre ? Est-ce que je vais mourir sans pouvoir exprimer ce que je suis et surtout sans avoir été aimée ?

Dans ces moments où les interrogations de Flora devenaient tragiques, Marie s'arrêtait, quoi qu'elle fût en train de faire. Elle écoutait et consolait.

— Flora, tu es une femme forte et c'est pourquoi tu seras un jour une femme aimée pour ce que tu es, toi, et non pas une autre.

Elles se rendirent ensuite au 39 Beacon Street, là où Longfellow épousa Fanny Appleton en 1843. Puis à la Old North Church, à laquelle, expliquait Marie, les Bostoniens étaient très attachés et pour laquelle Longfellow composa le poème dit «des Deux Lanternes». En effet, Londres voulait mater toute escarmouche après le Boston Tea Party. La nuit où les troupes anglaises se mettraient en marche, le sacristain de la Old North Church devait signaler, à l'aide de lanternes accrochées au clocher, le chemin qu'elles emprunteraient. Une lanterne signifiait que les Anglais arrivaient par la terre, deux lanternes signifiaient qu'ils arrivaient par la mer. Ce furent deux lanternes qui donnèrent le signal et c'est ainsi que les *Minutemen*, les miliciens de Boston, purent se préparer à l'attaque des Tuniques rouges britanniques. C'était dans la soirée du 18 avril 1775.

«Un clocher? Une église? Un clocher qui se découpe dans le ciel? Une église, lieu de rassemblement? La même toile de fond, cette fois en Acadie française dans l'église de Grand-Pré, vingt ans plus tôt», pensa Flora. En 1755.

Elle sentait le besoin quasi viscéral d'évoquer, vraisemblablement pour tenter de s'en purifier, les violents ouragans politiques qui avaient mené à la dispersion des Acadiens quelques années avant que la Nouvelle-France soit elle-même conquise et assujettie.

En effet, depuis plus d'un siècle, les deux empires aux ressacs impitoyables, la France et l'Angleterre, s'affrontaient pour la possession des colonies d'Amérique. Ressacs qui allaient jeter pêle-mêle, sur des bateaux à marchandises, hommes, femmes et enfants.

Déjà, le colonel John Winslow, sous les ordres de Charles Lawrence, émissaire de la couronne d'Angleterre, avait établi son camp et ses troupes entre l'église et le cimetière de Grand-Pré. On lui avait demandé d'avoir recours aux moyens les plus sûrs – la ruse ou la force – pour rassembler puis embarquer les habitants. C'est ainsi que le 2 septembre 1755 John Winslow lança une proclamation dite royale ordonnant à tous les habitants, «y compris les vieillards, les jeunes gens ainsi que ceux âgés de dix ans», de se réunir obligatoirement, à trois heures de l'après-midi, le 5 septembre dans l'église de Grand-Pré sous peine de se voir confisquer leurs biens. Quatre cent dix-huit Acadiens, jeunes et vieux, rassemblés dans l'église, sont immédiatement faits prisonniers. On leur annonce que toutes leurs terres, leurs habitations, tout leur bétail, tous leurs biens sont saisis par la couronne d'Angleterre. Pendant cinq jours, femmes et enfants viendront porter, qui à leur mari, qui à leur père, des provisions de toutes sortes sans même pouvoir les voir ni leur parler. Et brutalement, le 10 septembre 1755, c'est la Déportation.

Dans le cliquetis des armes, des ordres vociférés, des pleurs et des gémissements, les femmes sont embarquées sur des bateaux différents de ceux où sont retenus leurs maris. Des enfants, dès ce jour, devinrent pour toujours orphelins. Il y eut dès lors, écrivent les historiens, «des enfants et des parents, des mères et des filles, des frères et des sœurs, des fiancés et des fiancées, des amis qui, croyant se quitter pour quelques jours, se séparèrent pour ne plus jamais se revoir ici-bas, les vaisseaux ayant des destinations fort différentes». Oui, c'était là qu'il avait commencé, le grand naufrage de la Nouvelle-France. Les Acadiens déportés n'étaient coupables que d'un seul crime: celui de leur attachement à la France.

Exubérante, Marie tirait cependant Flora par la manche et elles entrèrent dans la maison où, selon la légende, aurait vécu le forgeron immortalisé par Longfellow dans son poème « *The Village Blacksmith* ». Ce forgeron du village, «puissant gaillard aux mains noueuses et larges», récita Marie.

– Ces vers m'ont souvent rappelé le forgeron de Saint-Alexis, tu sais celui dont on voyait, à partir de chez toi, la forge et l'enclume qui jetait des étincelles. C'était qui encore, Flora?

– C'est Jules Dufour, un grand ami de mon frère Léonard. Il a épousé une Gaspésienne et tous deux descendent souvent regarder couler l'eau de la rivière Matapédia, parce que, elle, elle s'ennuie de la mer. Oui, lui, c'est un solide gaillard, comme tous les Dufour, et elle, Catherine Allard, c'est une femme tendre, une musicienne.

Et, se tournant vers Marie:

– Merci, lui dit-elle, pour ces heures enivrantes passées ensemble à découvrir Longfellow. Mais le comprends-tu, toi, le grand mystère de la poésie?

Les enfants avaient commencé l'école. Flora, elle, allait commencer son rôle d'assistante auprès du Dr James McLean. La veille, avec Marie, elle avait visité le cabinet de consultation attenant à la maison. Elle l'avait trouvé avenant et brillant de propreté.

«Voici ton coin de travail», lui avait indiqué Marie. Flora avait cru rêver: une table, que, déjà, elle caressait de la main, était pourvue d'un tiroir rempli de crayons bien taillés et d'un registre ligné dont la marge était soulignée à l'encre rouge. Deux tablettes, l'une couverte de fioles étiquetées, l'autre divisée en deux : d'un côté, une pile de dossiers numérotés et, de l'autre, une collection de revues médicales complétaient ce qu'elle considérait déjà, avec une émotion retenue, comme son royaume !

Sa première journée de travail à la clinique l'avait cependant laissée songeuse. Alors qu'elle vérifiait les noms des patients inscrits au registre, elle avait levé les yeux au bruit de la porte qui s'ouvrait. Elle vit alors James revêtir lestement un sarrau blanc et y poser son stéthoscope. Pendant quelques instants, le plancher sembla se dérober sous ses pieds. Elle venait d'assister, le cœur tremblant, à une sorte de métamorphose. Devant elle ne se tenait plus James, son cousin marié à Marie Bastarache, mais un autre homme, le D^r McLean, le savant avec qui, chaque jour, elle partagerait sa vie professionnelle. Le temps s'était arrêté. Elle flottait dans un mouvement confus d'admiration et d'attirance vers cette tête, vers cette poitrine d'homme. Un flux de sang lui traversa les tempes quand le D^r McLean, simplement, lui désigna la patère.

– L'autre sarrau est pour vous, Flora.

L'image du D^r McLean continuait de danser devant ses yeux pendant que son corps à elle vacillait. Tremblante, entravée dans ses mouvements, elle mit du temps à préparer l'eau stérile et les gazes de fils sinueux destinés aux pansements.

– Flora, dit soudain le D^r McLean, je vais vous montrer comment, en cas d'urgence, on pose un garrot.

Elle eut peine à s'arracher à ses hallucinations. Marie aurait sûrement remarqué son regard affolé. Lui, pas. Il lui parlait avec un regard clair, franc, direct qui n'avait rien à voir avec cette poussée étrange qu'elle éprouvait devant lui, le médecin en sarrau blanc.

– Flora, quand on fait face à un malade, il ne faut s'étonner de rien, disait-il.

Ne s'étonner de rien? Il ne se rendait donc pas compte qu'en ce moment précis se tenait devant lui une assistante éperdue, égarée, hagarde, sous l'effet d'une impulsion vive, irraisonnable vers lui; en un mot, malade de lui? N'entendait-il pas les vibrations tumultueuses de son cœur, cet appel terrible d'une femme qui veut posséder l'homme qu'elle pourrait aimer?

Il lui parlait des êtres humains, «au corps jeune ou flétri, peu importe», ajoutait-il, qui se débattent contre les douleurs de la vie et dont l'âme, souffrante, s'empare des cris du corps pour tenter de s'apaiser. Elle éprouvait, elle aussi, l'envie de crier. Comme le font les oiseaux des mers autour d'un banc de poissons qui, à la fois, les attire et les étourdit.

Curieusement, la voix du D^r McLean l'isolait de tout. Elle l'écoutait et le contemplait. Son corps l'attirait parce qu'il renfermait un esprit scientifique plein de connaissances. Mais où étaient donc justement les âmes errantes de ces femmes qui auraient pu aimer et être aimées mais dont l'amour lui-même n'avait pas voulu?

Quand Flora regagnait enfin sa chambre, elle se lançait délibérément dans des rêves d'amour. Transportée, elle avait la pensée folle que cet homme, James, se transfigurerait pour elle, qu'il ne serait plus que le D^r McLean et qu'il lui appartiendrait. Il lui enseignerait comment soigner les

malades pendant que ses mains fermes de médecin lui ca-
resseraient le visage. Plus rien, alors, n'avait d'importance :
ni Marie, ni les enfants Alexis et William, ni ses parents, ni
son village. « Qu'il m'aime, disait-elle, en cris étouffés.
Qu'il m'aime sans jamais peut-être s'abandonner, sans jamais peut-être se donner à moi, mais qu'il approche son
corps le plus près possible du mien, qu'il me prenne dans
ses bras, sur sa poitrine, sans plus. Mais qu'il m'aime ! »

Des arguments contradictoires nourrissaient son envie
d'aimer. Après tout, le D^r McLean n'était-il pas l'incarnation vivante de ce qu'elle désirait le plus au monde ? Cet
élan vers lui qu'elle pourrait laisser s'épanouir, n'était-ce pas
un appel vers la liberté ? Enfin, ne pourrait-elle pas passer
outre aux interdictions persistantes de sa conscience ?

Elle s'endormait, épuisée. Une nuit, dans un rêve, le
D^r McLean et elle enlevaient la bosse de Gracieuse, la petite bossue de l'école de son village. La bosse s'était mise à
rouler, elle s'était transformée en visage, le visage intelligent de Gracieuse, et celle-ci lui criait : « Mademoiselle
Flora, cet homme n'est pas à vous. Il est à Marie. » Elle
s'était réveillée, transie. Mais, indomptable, elle s'était laissée glisser vers de nouvelles pensées amoureuses. Des pensées coupables, comme elle devrait peut-être un jour les
avouer au confessionnal.

Malgré cette situation qu'elle jugeait sévèrement, une
force irrépressible la prenait au ventre quand elle se dirigeait vers la clinique. C'était une joie âpre qui lui consu-
mait la tête et l'âme, mais « qu'importe, se disait-elle, je le
vois, je le regarde, je suis près de lui, j'apprends ». Et elle
réussissait à se façonner un visage impassible tout en posant
ses pieds, elle le savait, sur une terre de feu.

Elle travaillait bien en équipe avec le D^r McLean. À Flora – qui était plus à l'aise dans la conceptualisation des idées que dans leur concrétisation –, il relatait des faits vécus, expliquait des maladies contrôlées par tel moyen, donnait des exemples. Ils partageaient la même conception du travail et s'accordaient sur la façon d'obtenir les meilleurs résultats. Elle apprenait. De plus, jour après jour, elle admirait le respect que le Dr James McLean portait à la souffrance humaine. Il ne brusquait pas, il écoutait, il encourageait. Sans donner prise au mirage d'une existence sans problème, il transmettait l'espoir grâce à cette sagesse souriante qui le caractérisait. À la sortie du bureau, les patients affichaient une démarche plus légère, réconfortés par sa vitalité discrète et contagieuse.

Mais les démons revenaient. Quand le D^r McLean examinait ses malades, elle aimait regarder ce dos viril, légèrement voûté. Elle s'imaginait alors que cette courbure était celle des gens qui se penchent assidûment sur des livres pour étudier. En retrait, elle observait ses mains agiles qui palpaient le tissu humain, ce visage au front large qui s'effilait progressivement vers un menton puissant, carré. Ses sourcils étaient nets à la racine puis broussailleux. Cette caractéristique n'était-elle pas le signe qu'il pourrait, un jour, se donner à elle dans un moment d'abandon? «Qu'il m'arrache la conscience en même temps que mon sarrau et qu'il écrive sur mon corps les signes de son amour avec des langues de feu», bégayait-elle intérieurement. Parfois, alors que la fin du jour assombrissait le bureau, elle avait l'envie folle de se jeter dans les bras de cet homme. Dans cette clinique, elle garderait pour elle à la fois le corps du savant et le corps de l'homme.

Marie… Marie! La nuit, quand la fièvre pesante du désir refoulé ressurgissait, Flora revoyait cette grande et unique amie qui lui avait ouvert les portes de sa maison. Elle avait honte d'elle-même. Non, elle n'irait pas vers la transgression. Elle ne pouvait pas, moralement, transpercer cette fine membrane qui s'interposait entre ses délires, ses vertiges et qui s'appelait, elle le savait bien, sa conscience. Cependant, quand elle se rendormait, l'exaltation succédait à la raison. Des vagues d'images – les épaules solides du D^r McLean, son sourire large, les dossiers, le travail en commun, les deux sarraus suspendus à la patère – se dépliaient et s'enroulaient voluptueusement autour d'elle. Elle tombait dans un puits sans fond et s'entendait gémir de douleur.

Heureusement, il y avait la lecture. Depuis quelques semaines, Flora parcourait avec la plus grande attention le *Medical and Surgical Reporter* que le D^r McLean lui avait recommandé. Publiée sous les soins du Dr George H. Napheys, cette chronique mensuelle s'adressait principalement aux étudiants en médecine. Il s'agissait d'articles courts, clairs, accessibles qui traitaient des maladies les plus courantes. Pour Flora, c'était là un guide précieux dont elle discutait avec le D^r McLean. Il lui avait d'ailleurs conseillé de se bâtir, et par ses lectures et par les expériences qu'elle vivait à la clinique, une sorte d'intelligence médicale. Et il avait ajouté : « Ainsi qu'un esprit très ouvert. »

« Le malade représente plus que tout le paradoxe de l'être humain, lui avait-il dit. L'âme et le corps du patient sont en osmose, oui, mais leurs liens sont souvent enchevêtrés. C'est aux soignants comme vous et moi, Flora, qu'il incombe d'ouvrir pour lui des perspectives réconfortantes et réalistes, quels que soient ses problèmes ordinaires ou ceux qu'il considère comme difficiles à avouer.»

«Comme des désirs inavouables», avait pensé Flora. Et pourtant, entendre parler le D^r McLean lui était devenu aussi essentiel que sa propre respiration.

Elle lutta pendant des mois. Elle tentait de remplacer ses rêveries par un espace intérieur dans lequel elle établissait tous les soirs, pour le lendemain, des stratégies de contrôle. «Il faut dompter cette bête sauvage», se répétait-elle. Il lui fallait tenir à distance cette force explosive qui pouvait à tout moment la dominer. Sa conscience lui rappelait sans cesse que le D^r McLean appartenait à une femme qu'elle aimait par-dessus tout et qu'elle ne pourrait jamais trahir. De toutes ses forces alors, elle pesait la valeur des gestes qui seraient les siens, le lendemain, à la clinique. Mais, dans le sursaut des premières heures de sommeil, elle demandait encore à la nuit sa part d'amour. Elle s'imaginait que ce besoin d'avoir un homme à elle pour l'admirer et l'aimer ressemblait à la force naturelle du brin d'herbe qui, patiemment, pousse à travers le roc. Il trouve son chemin vers la lumière. Elle trouverait aussi son chemin vers l'amour. C'est ainsi qu'elle apaisait sa souffrance.

Fort heureusement, il y avait aussi les enfants. À l'heure du conte, elle s'ingéniait à attirer leur attention en racontant une légende qu'ils devaient ensuite lui répéter en français.

– Flora, croyez-vous au monstre du Loch Ness? lui avait demandé Alexis.

– Les Écossais l'appellent Nessie, avait ajouté William. Il sort du loch seulement au mois d'août et, dès qu'il a attrapé un saumon, il retourne au fond du lac!

Elle leur expliquait alors la part de mystère né des brouillards des Highlands d'Écosse, là où souvent la brume noie ensemble la mer et la terre. Comment tous ces brouillards mêlés au fracas de l'eau et aux mugissements du vent provoquent l'imagination. Puis, elle attirait leur esprit vers des notions d'histoire.

— Vos ancêtres écossais ont laissé un héritage bien plus grand que la cornemuse, le whisky et les kilts. Ils possédaient un extrême courage et une grande détermination puisque, pour traverser la mer entre l'Écosse et l'Amérique, il fallait compter quarante jours. Et savez-vous ce qu'ils apportaient dans leur coffre de bois qu'ils nommaient le kist? Eh bien, ils apportaient du hareng salé, des pommes de terre, de la mélasse, des biscuits de mer et ils avaient composé une chanson que vous devez mémoriser pour demain et qui va comme suit : « Des vêtements pour se vêtir / Une paire de chaudrons pour cuisiner / Un sac d'outils pour bâtir / Et la parole de Dieu pour vivre et mourir. » Je vous laisse le texte. Bonne étude et bonne nuit, les garçons. C'est Richard Love qui a écrit cette chanson. Oui, *Love* comme « amour ».

Love. Amour. Des brouillards d'ivresse, aussi trompeurs que ceux des landes de bruyère, la rejoignaient encore toutes les nuits. Parfois, elle entendait les pas vifs du D^r McLean qui montait l'escalier. Elle s'imaginait qu'il pourrait alors venir vers elle, qu'elle dénouerait son lourd chignon et que tous deux entremêleraient leurs désirs et leurs corps. Mais, impitoyable, le remords devenait si douloureux que son corps semblait s'arracher de l'espace, ses jambes se raidissaient, ses bras se resserraient sur sa poitrine dans un spasme violent qui, par des secousses répétées, la menait à des tremblements qu'elle pouvait à peine contrôler.

On lui avait parlé des shakers qui, lors de leurs cérémo-
nies dominicales, chantaient et dansaient jusqu'à l'épuise-
ment afin que les transes chassent le mal de leurs corps.
Son propre corps épuisé réussissait lui aussi à extirper cette
souffrance sans nom que son esprit ne pouvait plus supporter. Oui, elle s'était encore laissé séduire par les reflets
de son imagination, comme les merles d'Amérique qui,
voyant eux aussi leur reflet dans les vitres des fenêtres, s'y
élancent et se tuent. Elle, elle survivrait. Chaque matin,
elle descendait avec détermination dans l'arène où Flora
Martin et le Dr James McLean allaient se retrouver. Elle y
engageait, une fois de plus, son combat contre elle-même.

VI

Ce jour-là, James était rentré à la maison visiblement heureux. Il tenait à la main un sac sur lequel
on pouvait lire : « David McKay, Publisher, Phila-
delphia ». Fier de lui, il lança à Flora, qui, depuis un an
déjà, lisait régulièrement les chroniques du Dr Napheys :

— Je l'ai trouvé, le livre introuvable ! C'est pour vous,
Flora.

C'était le *Handbook of Popular Medicine*, également du
Dr George Henry Napheys. À la suite du succès remporté
par ses articles publiés dans le *Medical and Surgical Reporter*
en 1866, il offrait maintenant, aux étudiants et au public
averti, une sorte de bible médicale en se disant convaincu
qu'un profane passionné et intelligent y apprendrait aisé-
ment les différentes fonctions et dysfonctions du corps humain.

— Ce guide médical est pour moi ? s'était écriée Flora,
avec une telle vivacité que James l'avait regardée avec émotion.

Elle eut le désir fou de parcourir ce livre avec lui, elle en
tournerait les pages, il lui expliquerait des notions encore
mystérieuses…

Déjà, cependant, James s'adressait à Marie :

– Tu te souviens d'Edward MacRae ? C'est grâce à lui que j'ai pu dénicher pour Flora le volume médical du Dr Napheys, devenu introuvable. Ne penses-tu pas que nous pourrions l'en remercier en l'invitant pour la célébration de la Thanksgiving ?

Flora entendit à peine la réponse de Marie. Elle tenait avec volupté ce manuel médical, avec la même curiosité passionnée qu'elle avait toujours ressentie à la vue d'un nouveau livre qu'elle s'apprêtait à ouvrir. Elle le tenait avec une sorte d'incrédulité anxieuse, le tournait et le retournait en le palpant fortement. Elle en vit d'abord le carton brun rigide, traversé en haut et en bas par trois lignes noires horizontales entre lesquelles trois liliacées gravées entouraient, sous le plat, la maxime *Knowledge is Safety*. Sur le dos du livre, légèrement en ronde-bosse, des motifs cassés en volutes entouraient le titre *Handbook of Popular Medicine*. Elle lirait plus tard la préface, jugea-t-elle, tout en consultant rapidement les titres en quatre parties du livre : « *Structure and action of the body* », « *Sickness in adult life* », « *Sickness in childhood* », « *Special receipts for care of the sick* ». La conclusion intitulée « *Charity to the poor and sick* » la fit tressaillir. Ce livre était pour elle. « Quand je retournerai au village, se dit-elle, je pourrai aider, donner des conseils, soigner, soulager. Car, des médecins, il n'y en avait pas. »

Elle apprit de James qu'Edward MacRae, chercheur scientifique, avait été son collègue à Harvard. Bardé de diplômes des universités les plus prestigieuses – il avait aussi étudié en France et en Angleterre –, il vivait seul dans l'immense maison victorienne que ses parents lui avaient léguée. «Un oiseau rare», avait concédé James dans un immense éclat de rire. «Sans doute un grand intellectuel», avait pensé Flora. Pendant ce temps, Marie enchaînait en lui racontant «une rumeur peut-être» mais assez typique concernant certaines familles très traditionnelles de Boston, en l'occurrence celle d'Edward MacRae dont le patronyme de souche ecclésiastique signifiait «Fils de Grâce», duquel se réclamait d'ailleurs avec grande fierté cette lignée écossaise engluée dans un certain puritanisme.

Marjory Bruce MacRae – mère d'Edward – était reconnue pour être une femme raffinée, au visage fier, dont l'impassibilité en disait long sur son caractère stoïque. Elle était restée fidèle au rigorisme austère tel que codifié par les premiers colons puritains venus de Grande-Bretagne pour s'établir à Boston, dès le XVIIe siècle. Avec ses amies, elle assistait aux prêches avec délectation puis leur enjoignait de barbouiller en rouge tous les écrits qui pourraient mettre en doute l'ordre moral puritain. De plus, elle avait délibérément déchiré tous les exemplaires des livres de Roger Williams qu'elle avait trouvés dans les affaires de son père après son décès. Cet homme trop rebelle à ses yeux fanatiques, cet auteur «satanique», répétait-elle, avait l'audace de prôner la séparation de l'Église et de l'État et, pis encore, la liberté religieuse la plus totale, ce qui pour elle était «le commencement du pire».

Marie se tut quelques moments afin de laisser à Flora le temps de savourer ces «rumeurs» qui étaient sans doute nouvelles pour elle. Puis, les yeux pétillants, elle continua:

– L'argent était, semble-t-il, pour Marjory Bruce MacRae, synonyme de culpabilité, et la prospérité florissante de sa famille ne devait pas être apparente.

La mère d'Edward MacRae, persuadée qu'on la considé-
rerait comme riche si elle s'habillait à la dernière mode, mettait donc de côté pendant deux ans des robes qu'elle com-
mandait à Paris. Elle en importait douze par année : deux de
velours, deux de satin, deux de soie et les six autres en popeline et en cachemire. Cet achat était le même d'une année à
l'autre. Or, Marjory fut malade deux ans avant de mourir de
telle sorte qu'après sa mort on trouva chez elle quarante-huit
robes françaises qui n'avaient jamais été déballées de leur
papier de soie. De plus, elle avait tenu à transmettre à son
fils unique, Edward, des documents officiels prouvant que
la généalogie de sa famille remontait aux immigrés puritains arrivés à Boston en 1620, à bord du *Mayflower*.

– Le *Mayflower* ? interrogea Flora.

Les lèvres nettement dessinées de Marie s'ouvrirent en
un sourire qui irradiait et formait des plis jusqu'aux angles
extérieurs des yeux ; Marie aimait raconter.

– Commençons par les Pères pèlerins, avait-elle tran-
ché, que l'on appelle ici Pilgrim Fathers.

Les Pères pèlerins sont ces Anglais qui quittèrent leur
pays au XVIIe siècle sur le bateau *Mayflower*. Ils étaient à la
recherche de nouvelles terres où ils pourraient vivre leur
différence religieuse puisqu'ils n'avaient pas réussi à réfor-
mer l'Église anglicane dont ils trouvaient la morale trop
relâchée. Ici, dans la « Nouvelle Sion » de l'Amérique, ils
pourraient interpréter les Écritures à leur goût et tenter de
purifier – d'où leur nom – l'Église anglicane, ainsi que l'âme
humaine qu'ils considéraient comme corrompue et sous
l'emprise constante de Satan.

Le visage d'ordinaire si lisse de Marie s'était crispé légèrement. Dans la maison, des ombres dévoraient déjà des

pans entiers de fenêtres. La noirceur allait tomber plus tôt qu'à l'habitude, à cause de ce ciel gris, pesant, qui depuis deux jours encerclait la ville et les maisons. On manquait d'air. Subitement, Marie reprit:

— Tu te souviens, Flora, des illustrations de ce qu'on appelait, dans notre enfance, l'emprise du Mal? C'était, je crois, dans le *Grand catéchisme illustré*. On y voyait Belzébuth, prince des démons, pousser les damnés dans le gouffre de la géhenne et Lucifer, l'ange de lumière, déchu, après sa révolte contre Dieu. Et surtout…

Marie avait baissé la voix afin de faire remonter le souvenir. Elle parlait rapidement, dans sa hâte de lâcher cet aveu qui l'étouffait.

— Surtout, continua-t-elle, j'avais lu ou entendu que le péché tue l'âme et repétrit ensuite le corps à son affreuse ressemblance. Comme j'ai eu peur longtemps, Flora!

Flora aussi avait eu peur. On racontait tant d'histoires pendant les longues soirées d'hiver: le diable qui embarque dans son rapide canot d'écorce les jeunes bûcherons qui se languissent de leur bien-aimée. Et qui les précipite finalement en enfer parce qu'ils ont rompu le pacte avec lui. Le diable qui apparaît sous les traits d'un élégant jeune homme, tout de noir vêtu, dans les veillées où la danse est défendue. Le cheval magnifique du diable, au poil lustré et noir, et dont les sabots, chauffés au feu de l'enfer, font fondre la neige. Le diable qui apparaît dans le miroir si on s'y regarde à la tombée de la nuit. Le diable qui tente d'arracher la petite croix noire autour du cou des jeunes filles qui aiment trop danser. Le diable et les fantômes des morts qui semblaient rôder derrière son dos alors qu'elle lisait tard dans la cuisine familiale sous la flamme vacillante de la seule lampe à huile de la maison.

Les deux amies se turent quelques instants. Combien de fois ne s'étaient-elles pas interrogées sur les notions tranchées du Bien et du Mal, sur ce Dieu auquel elles croyaient toutes les deux, Marie avec simplicité et Flora, consciente de la distance entre la raison et la foi.

Cependant, on trépidait là-haut. Des vibrations, d'abord feutrées puis de plus en plus fortes, provenaient de l'étage supérieur : bruits de pas, courses accélérées, bousculades, rires étouffés.

— Des petits diables appelés Alexis et William et peut-être même James se battent en haut, fit Marie en souriant.

— J'y vais, répliqua Flora pour qui était arrivée, comme à tous les soirs, l'heure du conte en français.

Montant rapidement, elle se heurta, dans le tournant plus sombre de l'escalier, contre James, cette fois en père de famille, les cheveux en désordre, la chemise légèrement entrouverte et rouge de plaisir. Leurs épaules se touchèrent. Son désir fut immense.

— Bonne chance pour calmer les garçons, lui lança-t-il, goguenard, l'œil amusé.

Les muses du démon de l'amour interdit l'attendaient toujours dans l'un ou l'autre repli de sa vie quotidienne avec James et Marie. De la même façon, pensa-t-elle, que la chauve-souris qui, blottie silencieusement dans l'encoignure d'une lucarne, nous est invisible jusqu'à ce que son battement d'ailes vienne nous frôler étrangement les cheveux. « Je dois me délivrer de cet amour, qui n'existe d'ailleurs que dans mon esprit », se répétait-elle.

C'est pourquoi elle décida de faire revivre pour les garçons, et beaucoup pour elle-même, l'histoire de « notre saint patron », comme le nommaient les gens de son village.

L'histoire de cet homme qui s'appelait Alexis et qui, dans les temps anciens, renonça volontairement à l'amour charnel. Elle raconterait à sa façon, pour leurs oreilles d'enfants. « C'est une histoire qui remonte à la nuit des temps, leur avait-elle dit. Elle se passe au XIᵉ siècle dans la ville de Rome, en Italie. L'auteur en est inconnu, mais on l'intitule *Vie de saint Alexis.*

« Le comte Euphémien et sa femme, longtemps privés d'enfants, nous dit la légende, obtinrent enfin du ciel, à force de prières, un fils, qui reçut le nom d'Alexis. Il fut élevé avec le plus grand soin et j'imagine, dit-elle en rêvassant, qu'il devint un beau jeune homme participant gaiement, comme tous les gens de l'époque, aux fêtes données par sa famille et ses amis. Sans doute qu'il revêtait alors son pourpoint le plus fin, celui en velours noir entremêlé de fils d'or. Il avait sûrement fière allure quand, faucon au poing, il partait à la chasse sur son cheval harnaché de pièces de cuir brillant au soleil. Peut-être même brandissait-il alors un gonfanon flottant au vent, comme le faisaient les chevaliers de l'époque médiévale.

« Cependant, quand Alexis fut en âge, ses parents le marièrent à une noble jeune fille. Alexis était doté d'une foi intense et avait toujours recherché l'égalité entre tous les gens. C'est sans doute pourquoi il ressentit un appel irrésistible pour un idéal qu'il considérait comme plus élevé que celui de l'amour humain. Le soir même de ses noces, il confia à sa jeune épouse : "en ce siècle, il n'y a pas d'amour parfait", et il s'enfuit dans une autre ville après avoir donné tous ses biens afin de devenir le plus pauvre parmi les pauvres. Écoutez la complainte de sa jeune épousée :

"Sire Alexis, tant de jours je t'ai désiré!
Et tant de larmes pour ton corps ai pleurées!
Et tant de fois, pour toi, j'ai au loin regardé…"

« L'absence d'Alexis dura dix-sept ans, puis il revint vers la maison paternelle sans se faire reconnaître. Il était si amaigri et si vieilli que personne en effet ne pouvait croire qu'il était le fils de la maison. À son père, il demanda le gîte, le couvert et la couche sous l'escalier destiné aux mendiants. "Sous ton escalier, fais-moi un grabat, pour l'amour de ton fils dont tu as telle douleur."

« Pendant dix-sept autres années, il sera témoin de la douleur renouvelée de son père, de sa mère, de son épouse, sans jamais se faire reconnaître. À sa mort, un parchemin, où il avait écrit l'histoire de sa vie et que le pape seul put arracher de ses doigts, le dévoila. Sa famille ne le retrouva que pour le pleurer. Et, cette fois, pendant sept jours, la foule défila devant lui, puis on l'enferma dans un cercueil enrichi d'or et de pierres précieuses. Saint Alexis, conclut le narrateur de cette histoire, est au ciel auprès de Dieu, parmi les anges et… réuni à sa jeune femme dont il avait été séparé durant toute sa vie. »

– C'est une histoire cruelle, dirent les enfants.

– Oui, c'est vrai. Mais c'est aussi une histoire qui illustre le détachement, fit doucement Flora. Bonne nuit, mes amours!

C'est ainsi qu'elle les nommait parce qu'elle les aimait. Et aussi parce que, sans le savoir, ils l'apaisaient et l'aidaient à remonter cette « échelle de Jacob » dont la figure biblique s'accommodait comme naturellement à son esprit.

Cette image lui était venue de la Genèse, dans les tout premiers écrits du Pentateuque. Jacob, fils d'Isaac, lui-même fils d'Abraham, passait la nuit dans un endroit désert – un endroit sacré où Abraham avait érigé autrefois un autel – puisque le soleil, déjà, s'était couché. Il choisit une pierre pour en faire son chevet et il s'endormit. Jacob eut un songe : il vit une échelle posée à terre, dont le sommet touchait le ciel. Cette histoire de l'Ancien Testament était devenue pour Flora la belle mais douloureuse image de la condition humaine. «Chacun des êtres finis que nous sommes, pensait-elle, monte cette échelle à cause de sa soif d'idéal et d'absolu. Cependant, des puissances adverses le tiraillent, il trébuche, se reprend, monte de nouveau, redescend au rythme de ses forces et de ses faiblesses.» «Et la corde de cette échelle, pensait-elle aussi, n'a pas toujours la fine douceur de la soie, mais plutôt l'aspérité de la corde rugueuse» qui amarrait, dans sa mémoire d'enfant, les barques de pêche le long du littoral de l'Île-du-Prince-Édouard. Cette image de «l'échelle de Jacob» était depuis de nombreuses années intimement liée à son esprit et à son âme. Elle l'aidait à vivre et à saisir, au fil des jours, la généreuse notion de l'élan, de la chute et de la miséricorde.

VII

En ce quatrième jeudi de novembre était arrivée la fête de la Thanksgiving. « C'est une tradition aux États-Unis », lui avait dit Marie tout en rappelant que cette fête fut célébrée en Amérique, dès le XVIIe siècle, par les Indiens et les Pères pèlerins venus de l'Angleterre. Le premier hiver avait été terrible pour les nouveaux arrivants : le froid et la faim avaient décimé la moitié de la colonie naissante. C'est alors que les Indiens leur avaient appris comment se soigner, se vêtir, chasser, pêcher et cultiver la terre. Et puisque, à l'automne suivant, la récolte fut abondante, on organisa une grande fête pour remercier Dieu et bénir les moissons. Ce fut la première Thanksgiving.

C'était donc jour férié et James était parti avec les enfants visiter la ville historique de Plymouth, là où avaient débarqué les fondateurs du pays, les Pères pèlerins. Munis d'un carnet, Alexis et William devaient prendre des notes et, au retour, en faire le résumé à Flora, en français. Quant à Marie, elle transmettait avec grand sérieux à Flora l'art d'apprêter la dinde, qui devait sortir du fourneau bien dorée et dodue après qu'on l'eut fourrée d'un hachis d'abats et de ces herbes gris-vert, très aromatisées, comme la sauge et la sarriette. Des baies d'un rouge vif, au goût acidulé, dites tantôt canneberges et tantôt atocas d'après le terme amérindien, accompagnaient ce plat.

« En l'honneur de la Thanksgiving et de notre invité, nous mettrons la nappe blanche damassée et nous prendrons le service en porcelaine », avait déclaré Marie. Flora avait été subjuguée par cette vaisselle anglaise ornée de volutes bleues, entourée d'une ligne d'or. La verrerie très fine, dépolie et ornée de fleurs ciselées, légères comme de la mousseline, avait appartenu aux parents de James. Le service de couverts était d'argent.

En un clin d'œil, Flora avait revu les nappes de lin rugueux, la vaisselle de faïence et les couteaux d'étain de la famille Martin. Elle s'était sentie vaguement désemparée. Quelle robe allait-elle donc porter ? Elle ne possédait pas, comme Marjory Bruce MacRae, quarante-huit robes françaises emballées dans du papier de soie.

« Marie ?... »

« Ta plus belle », avait recommandé Marie, tout en ajoutant qu'Edward MacRae, doté d'un sens rigoureux des convenances, était toujours très élégant. Mais n'avait-elle pas entendu James dire à Marie en plaisantant que cet homme avait tendance à se cacher sous un décorum ?

Quoi qu'il en soit, Flora opta pour une tenue romantique : un corsage de popeline rosée qui faisait ressortir ses cheveux bruns et épais, qui arrondissait gracieusement ses épaules et dont les manches légèrement bouffantes tombaient en petits plis jusqu'aux poignets. Elle porterait la jupe longue coupée à même le tartan aux vives couleurs offert jadis par Marie. Cette jupe, elle le savait, moulait ses hanches, « des hanches de berceaux » comme on disait dans la vallée de la Matapédia. Elle s'y sentait à l'aise grâce aux conseils de sa marraine, la couturière du village, qui se nommait Henriette Dufour mais que l'on surnommait affectueusement « la Petite Marquise » tellement elle s'enrubannait de voilettes et de dentelles.

— Et le père, avait-elle un jour demandé à Marie, comment était le père d'Edward MacRae ?

— Les Écossais ont toujours aimé le commerce. William MacRae s'était associé à son cousin britannique d'outremer, Johnnie Walker, qui fut le premier à distiller le fameux whisky, qui porte d'ailleurs son nom. William MacRae, père d'Edward, est mort très riche.

Quand les garçons revinrent de Plymouth en fin d'après-midi, ils étaient intarissables. En français, ils décrivirent tout ce qu'ils avaient visité : les grandes baies où avaient accosté, sur le *Mayflower*, les premiers Anglais qui s'étaient établis en Nouvelle-Angleterre. Les vestiges du premier village dont les maisons étaient fabriquées « en rondins avec des toits de chaume ». Et, surtout, ils avaient vu des habitants de Plymouth qui, revêtus des anciens costumes des Pères pèlerins, avaient fait la procession jusqu'à l'église. « Mission accomplie », avaient-ils ajouté dans un français dont la syntaxe ne cessait de s'améliorer. Flora en était fière et, de surcroît, ne venaient-ils pas de lui dire qu'elle portait une robe bien plus belle qu'à l'habitude et que ses cheveux étaient relevés et que, et que… tandis que James lançait, dans un ultimatum retentissant : « À la cuvette et à la savonnette, les garçons ! »

Elle regarda Marie et James, qui semblaient tous deux heureux de se retrouver et qui vivaient amoureusement, devant ses yeux, les gestes du quotidien. Mais elle était sûre que ce qui semblait justement être le quotidien traçait en même temps, pour cette femme et cet homme qui s'aimaient, un chemin vers des expériences plus profondes. Et elle, Flora Martin, n'était encore, passé vingt-cinq ans, qu'un buisson ardent qui brûlait sans se consumer. Elle était toutefois consciente et heureuse de constater que, peu à peu, elle s'était ouverte à d'autres perspectives. Un jour, James avait confié à Marie devant elle :

– Je n'ai pas revu Edward MacRae depuis longtemps. J'ose espérer qu'il a évolué. J'ai toujours été étonné, avait-il ajouté, de l'étrange immobilité de cette vieille famille qui se tenait à distance et vivait dans le passé.

Flora s'était juré de tout observer.

Convié pour dix-neuf heures, Edward MacRae sonna à l'heure précise. Un bruit de pas vifs, rapides, annonçait un homme énergique. Il portait avec aisance un complet coupé dans cette laine fine comme de la soie, le Harris tweed, importée d'Écosse. Déjà, sa voix retentissait et il lança à la ronde :

– La ville de Boston dépense trop, mes amis. Vous avez vu ces nouveaux réverbères au gaz installés sur Beacon Hill ? C'est un luxe tout à fait inutile. Ce n'est que du romantisme, voilà tout, *and nothing else.*

Flora se tenait à l'écart tout en observant cet homme sûr de lui avec ce je ne sais quoi d'indéfinissable comme dans certains portraits de l'élite aristocrate qu'elle avait vus dans les livres d'histoire.

Déjà, cependant, Edward MacRae se tournait vers elle.

— Mademoiselle Flora, vous êtes venue de bien loin pour apprendre avec James les soins à donner aux malades…

Le visiteur semblait étonné, perplexe, incrédule.

— … d'un village canadien-français, reprit-il furtivement.

— Oui, déclara James en souriant. D'un village pittoresque mêlé de sang écossais, acadien, canadien-français et qui s'appelle Saint-Alexis-de-Matapédia.

— J'en avais oublié le nom, avoua Edward. Parlez-nous, Flora, de votre village et de votre famille là-bas.

Edward MacRae s'exprimait si rapidement qu'elle en eut le vertige. Comment expliquer le mystère de ses racines, si profondes qu'elles la ramenaient sans cesse vers sa famille, son école, son village. Ces racines étaient vastes, elles s'étaient nouées, superposées, entremêlées, enchevêtrées en un nœud énorme, intimement lié et à son cœur et à son esprit. Un nœud inextricable. Indéfectible. Un nœud qui l'attachait pour toujours à Saint-Alexis-de-Matapédia, son village.

Elle expliqua brièvement à Edward que sa mère écossaise, Susannah McLean, et son père acadien, Joseph-Octave Martin, avaient dû quitter l'Île-du-Prince-Édouard. Ils n'y étaient plus vraiment chez eux, comme tous les Acadiens d'ailleurs, depuis le traité de 1713 dont les dispositions avaient continué de les isoler et de les tenir dans l'incertitude. Épris de paix et de liberté, ils avaient décidé d'aller défricher des terres encore vierges situées dans la vallée de la Matapédia. C'était en 1860.

— Mon père est considéré comme l'homme ayant coupé le premier arbre de cette forêt qui recouvrait ce qui est devenu notre village, confia-t-elle avec fierté.

James parla à son tour de Joseph-Octave, ce gaillard de six pieds, aux épaules larges, au tronc solide et droit comme un chêne et dont la force de caractère l'avait fortement impressionné. «Et le village aussi...», dit-il en regardant affectueusement Flora comme pour lui donner confiance.

Elle continua en expliquant que son village n'était pas situé le long de la rivière qui serpente dans la vallée de la Matapédia, mais bien sur le plateau d'une montagne des Appalaches descendant doucement vers deux rivières à saumons: la Ristigouche et la Matapédia. «Le vent d'hiver y est large et sec, et la brise d'été, fraîche et caressante», précisa-t-elle avec enthousiasme.

Edward la regardait, attentif, les yeux mi-clos. Rêvait-il avec elle?

— Et l'automne, comment est l'automne? enchaîna-t-il.

Elle revit la chaîne des Appalaches à travers laquelle couraient les eaux vives des rivières. Elle se surprit à dépeindre avec émotion pour cet inconnu, cet homme savant des villes, les montagnes lourdes de la Vallée qui, sous l'alternance des nuits froides et des journées ensoleillées, se remplissent de bouquets de toutes les couleurs: le rouge vif, l'ocre éclatant, le jaune pâle et même le pourpre velouté se détachant sur le fond vert des sapins et des épinettes «comme une caresse pour l'œil», conclut-elle avec effusion.

Par pudeur, elle se retint de décrire le rose embué des feuilles d'automne quand la clarté du jour chasse les ombres de la nuit. C'est dans cet espace qu'elle laissait volontiers se rasséréner les yeux de son âme. Cela, elle ne le dirait qu'à celui qui l'aimerait comme elle était: déchirée entre le réel et le mystère des choses.

— Je vous ferai découvrir ce même automne coloré dans les environs de Boston, répliqua Edward. Vous savez, Flora, les États-Unis et le Canada se ressemblent.

Elle n'en était pas si sûre.

— Et, ajouta-t-il, la chaîne des Appalaches relie le Canada aux États-Unis, n'est-ce pas de bon augure ?

Les enfants, suivis de Shetland, vinrent se présenter.

— Connaissez-vous, leur dit-il d'un ton enjoué, l'histoire de Crotach, dit « le Bossu » ? Eh bien, ce bossu avait fait un pari énorme avec un roi écossais. Il lui avait juré que, s'il venait le visiter, lui, Crotach, il lui présenterait une table et des bougeoirs plus beaux que ceux de sa cour. Le roi accepta l'invitation et alors Crotach servit un somptueux banquet dont la table était le plateau d'une colline – « comme à Saint-Alexis », dit-il en souriant vers Flora – et les bougeoirs… Savez-vous ce qu'étaient les bougeoirs ? C'étaient les membres du clan vêtus de leurs plus beaux kilts et tartans tenant des flambeaux allumés…

Flora regardait Edward avec émotion. Cet homme de science raffiné connaissait aussi les légendes des bardes écossais.

— Ce roi, c'était Jacques V, roi d'Écosse et père de Marie Stuart, précisa-t-elle.

C'est à ce moment qu'Alexis et William levèrent le doigt et récitèrent en chœur, en français :

— Mais il y a un dicton très vrai : *Qui veut France conquérir, Écosse devra tenir.*

— C'est Flora qui nous l'a fait apprendre, dit Alexis. Je crois que c'est compris dans le serment de l'Auld Alliance entre les Français et les Écossais.

– C'est comme l'alliance entre notre mère française et notre père écossais, renchérit William.

Edward tourna la tête vers Flora qui vit percer à travers ses yeux mille interrogations. Elle remarqua que les enfants avaient quitté la pièce, que Marie était retournée discrètement à la cuisine et que James s'attardait à ouvrir une bouteille offerte par Edward. C'était une bouteille de Dambruie, cette liqueur à base de fruits et de whisky concoctée depuis des générations par les Highlanders écossais, lui avait-il expliqué. Soudainement, une lueur d'inquiétude passa dans la tête de Flora. Pourquoi les avait-on laissés seuls ? James avait-il invité Edward afin de le placer entre elle et lui ? Est-ce que Marie voulait lui « procurer » un homme ?

Mais James revenait au salon et lançait jovialement :

– Viens nous rejoindre, Marie. Nous allons boire à l'Écosse, à la France, au Canada et aux États-Unis !

– Et à nous quatre ! ajouta Edward avec vivacité. Vous savez, Flora, que, James et moi, nous nous connaissons depuis les culottes courtes !

Rapidement, il fit allusion à la Boston Public Latin School, la plus vieille école primaire d'Amérique fondée en 1635 par des puritains raffinés, qu'avaient d'ailleurs fréquentée Benjamin Franklin et Ralph Emerson. « N'oublions surtout pas ces deux illustres collègues », ajouta-t-il, en souriant entre ses lèvres minces.

Flora s'était souvent attardée à l'idée selon laquelle visage et caractère ont un rapport très étroit. Combien de fois n'avait-elle pas entendu sa mère ou son père déclarer : « C'est écrit sur son visage. » Elle remarqua l'arête droite du nez, les muscles tendus du cou, les yeux vifs, noirs et perçants comme ceux du renard qui part à la chasse la nuit, dans les sous-bois. «Quand nous étions à Harvard, lui avait déjà dit James, on voyait Edward écouter attentivement puis se concentrer pour convaincre les autres de la justesse de ses raisonnements.» «C'est un intellectuel convaincu en plus d'être un esprit raffiné», pensa Flora, et cette idée lui plaisait. Elle se sentait à l'aise dans les subtilités de l'esprit.

Edward, cependant, continuait sur sa lancée :

— James et moi, nous nous sommes retrouvés à la Faculté de médecine de l'Université Harvard. Flora, il vous faudra visiter le Harvard Yard dont une des bibliothèques possède des trésors d'archives et de vieux manuscrits. Vous aimez l'histoire, je crois ?

Flora se sentit comme dans le cercle magique d'un sortilège. Oui, elle aimait passionnément remonter le cours de l'histoire et se laisser envoûter par des documents anciens. Mais comment Edward le savait-il ? Il s'intéressait donc à elle, une institutrice de village ? Lui, un savant renommé issu de la première université du Nouveau Monde ?

Étonnée, elle écoutait James et Edward ressasser des souvenirs de «cette bonne vieille Harvard». James y enverrait plus tard ses fils car, assurait-il, on n'y trouvait maintenant ni préjugés ni sectarisme, mais, au contraire, le sens de l'ouverture sur le monde et le respect pour l'accomplissement personnel.

C'est à ce moment précis qu'Edward leva un sourcil impatient.

— Je ne suis pas d'accord, mais pas du tout d'accord, avec les tendances actuelles de Harvard, déclara-t-il.

— Lesquelles ? demanda Marie ingénument.

— Celles qui ont abouti à la fondation du Radcliffe College, là où on a ouvert, depuis bientôt six ans, des cours pour les femmes.

— Et alors? fit James, bon enfant.

Edward prit son temps avant de répondre, tout en se donnant de petits coups sous le menton avec le dos des doigts. Puis, il proclama:

— Eh bien, je crois qu'instruire les jeunes filles, c'est émanciper les femmes et finalement bouleverser l'ordre social. Pourquoi les femmes renonceraient-elles à ce qu'elles ont toujours été? La femme doit rester une femme. J'ai horreur de ces changements-là.

Alors qu'Edward continuait à déplorer que le monde soit instable puisque tout changeait, Flora pensait que, au contraire, elle aimait le mouvement encore insaisissable de la fin du XIXe siècle qui entraînerait, elle l'espérait de tout cœur, les femmes vers autre chose. Car les femmes seraient égales si l'éducation l'était aussi, pensait-elle. Mais elle restait silencieuse, la gorge nouée. Comment elle-même, Flora Martin, née à Saint-Alexis-de-Matapédia, dans ce village pionnier où, lui semblait-il, les femmes avaient choisi modestement de n'être que l'écho de la pensée des hommes, comment s'y prendrait-elle pour mener sa vie comme elle l'entendait? Oui, comment?

Elle regarda Edward de nouveau et, curieusement, elle remarqua que chacun de ses cheveux semblait avoir reçu une place bien assignée. Il pinçait ses lèvres fines surmontées d'une moustache taillée au poil près. Se pourrait-il, se demandait Flora, que cet homme de science, pourtant formé à Harvard comme James, ne soit pas encore sorti de la rigidité puritaine semée il y avait plus de deux siècles dans les cales du *Mayflower*? N'avait-elle pas entendu James tantôt répondre à Edward, entre deux éclats de rire, que si la mer avait transporté, comme il le rappelait, du Vieux au Nouveau Continent, des Puritains, des bibles et des textes théologiques, elle avait aussi porté sur ses eaux – «puisque les Écossais aiment le commerce, tu en conviendras Edward» – du rhum vers l'Afrique et même de l'opium entre Smyrne et la Chine. Celui-ci en avait paru agacé et Flora se surprit à observer les moindres soubresauts de son visage, car elle voulait comprendre. Il se tenait maintenant le dos très droit au bout de sa chaise, prêt à bondir.

– Et de plus, reprit-il rapidement, il y a autre chose.

– Ah… fit James.

– Oui. Savez-vous que l'une des bibliothèques publiques de la ville de Boston a eu l'audace de placer indifféremment sur les mêmes rayons – je dis bien sur les mêmes rayons – les livres écrits par les hommes et les livres – rares, j'en conviens – écrits par les femmes? C'est ainsi que tout devient égal. On banalise tout. Je ne suis pas d'accord.

James se taisait, complètement dépassé. Marie regarda Flora, dont les yeux gris-vert, d'abord légèrement indignés, prenaient à l'instant même la teinte impitoyable des eaux de l'Atlantique en colère.

– Pourquoi n'êtes-vous pas d'accord? demanda sèchement Flora tout en soutenant fermement le regard d'Edward.

La réponse fut claire et immédiate.

– Parce que les femmes ne pourront jamais ni penser ni écrire des traités comme le font les hommes. D'ailleurs, affirma-t-il avec aplomb, la grande majorité des femmes ne tirent aucun plaisir de la vie de l'esprit. Qu'on leur laisse les romans, comme à George Sand! fit-il dans un rictus qui colmatait mal une certaine angoisse.

Il sembla à Flora que, malgré les belles lueurs d'intelligence qui éclairaient le visage d'Edward, sa voix était devenue agressive, et son ton, arrogant. Pour lui, la discussion était close. James, d'abord incrédule puis éberlué, proposa que l'on passe à table. Par intuition, Marie avait toujours su rejoindre cette marge sombre, tourmentée, où l'être humain cherche à ressembler à l'image qu'il s'est toujours donnée de lui-même. Rassurante, elle se mit joyeusement au bras d'Edward, l'entraînant vers la salle à manger tout en lui parlant avec affection de sa mère, Marjory.

James avait pris le bras de Flora.

— En effet, lui souffla-t-il à l'oreille en glapissant de plaisir, dites-moi, Flora, quel sera le bonheur de cet homme qui entrera chez lui et trouvera sa femme à observer les astres ou à traduire Platon, alors que ses habits sont déchirés, son rôti brûlé et son pot-au-feu manqué?

Quant à Alexis et William, l'œil rêveur à la mesure d'un jour de fête, ils prirent place à table, alors que Shetland, intéressé, se glissait à leurs pieds, espérant quelques miettes échappées au festin.

Flora ne semblait pas savoir comment reprendre la parole. James vint à son secours tout en servant le *clam chowder* crémeux et gorgé de palourdes. Il tira de sa poche un court récit humoristique en demandant à Edward de le lire pour les convives, ce que celui-ci fit de bonne grâce.

— « La chaudrée de palourdes de la Nouvelle-Angleterre, lorsqu'elle est préparée comme il se doit, dit-il en regardant affectueusement Marie, mérite qu'on en fasse l'éloge, qu'on l'encense et qu'on chante des hymnes à sa gloire, voire qu'on se batte pour elle… Elle est aussi américaine que la bannière étoilée, et aussi patriotique que l'hymne national. J'irais jusqu'à dire, concluait Joseph C. Lincoln, qu'il s'agit de l'Amérique en marmite!»

L'atmosphère se délestait peu à peu de sa charge émotive. De nouveau heureux, James ajouta, tout en recherchant l'approbation de Flora, qu'ils vantaient tous les deux la valeur nutritive du bol de «copechowdeh», comme on disait dans le jargon local, aux immigrés arrivant au pays et dont surtout les familles italiennes raffolaient.

– Justement, nous, nous sommes jaloux du petit Antonio italien, blagua Alexis.

– Oui, Flora l'aime autant que nous, renchérit son frère.

James avait déjà informé Flora d'une vague importante d'immigrants qui avait déferlé sur Boston dès le milieu du XIXe siècle. Les Irlandais étaient arrivés d'abord, fuyant la famine causée par la maladie de la pomme de terre, suivis des Portugais, déjà familiers de la pêche sur les bancs de Terre-Neuve au Canada et sur les côtes de la Nouvelle-Angleterre. Les Italiens étaient venus plus tard, après 1870, et, malgré leur pauvreté, ils s'étaient signalés par leur exubérance, leur esprit de famille, leur sens de la fête et leurs traditions religieuses. Autant d'aspects qui fascinaient Flora, car elle reconnaissait chez ces gens venant d'un pays de soleil des ressemblances intimes avec les Canadiens français de son village, pourtant cloisonnés par le froid des mois durant.

Avant son arrivée à Boston, Flora n'avait jamais ni vu ni rencontré d'immigrés. Tout ce qu'elle connaissait d'eux, elle l'avait lu dans ses livres d'histoire et de géographie. De l'Italie, elle n'avait qu'une chanson dite «italienne» que lui fredonnait sa marraine. Dès qu'elle mettait le pied sur la pédale de sa machine à coudre, la Petite Marquise fredonnait :

« Connais-tu le pays où fleurit l'oranger
Le pays des fruits d'or et des roses vermeilles... »

Cette chanson l'avait toujours fait rêver.

De temps en temps, expliqua-t-on à Edward, James et Flora consacraient quelques heures à la clinique médicale mise sur pied par le Dr Napheys et qui permettait aux étudiants en médecine de donner des soins gratuits aux immigrants qui débarquaient dans le port de Boston.

— Des soins gratuits ? fit Edward.

Il se dit irrité par les nombreuses demandes d'argent que divers organismes d'aide aux immigrants adressaient à la succession de ses parents.

— Donnons-leur plutôt le sens du travail et de l'initiative, reprit-il sèchement. Rien de plus noble que de gagner sa vie à la sueur de son front. Quant à moi, par principe et par simple logique, glissa-t-il sans sourciller, je ne fais jamais l'aumône afin de sauvegarder l'égalité des chances et ce que l'on pourrait appeler l'attachement à la hiérarchie des classes. Mais revenons à ces Italiens qui ont réussi à séduire mademoiselle l'institutrice, conclut-il en se tassant au fond de sa chaise.

Flora commençait à comprendre qu'il valait mieux ignorer certains propos d'Edward. Et c'est avec enthousiasme qu'elle raconta que, en effet, elle avait été séduite par une jeune famille – les D'Alesio – fraîchement immigrée de l'Italie du Sud. Séduite par la *mamma* joyeuse et profondément maternelle, par le père à la voix chantante toujours prêt à faire les besognes que d'autres refusaient, et surtout par ce petit Antonio à la chevelure d'ébène, à la peau dorée et à la prunelle noire qui se lovait avec abandon dans ses bras à elle, Flora Martin, qui n'avait pas encore d'enfant. Chaque fois, elle en avait ressenti une joie neuve, mystérieuse, inédite et surtout inexplicable.

On en était au deuxième service du repas traditionnel de la Thanksgiving. Tout en dépeçant la dinde dont le ventre rebondissait, juteux, coloré par la farce et les aromates, James vantait, en bon Écossais, les vertus de la nourriture solide. Quant à Edward, il picorait plutôt dans son assiette tout en s'essuyant souvent et précieusement les commissures des lèvres et le bout des doigts. Il semblait nerveux. Se tournant finalement vers Flora, il lança la question qui, sans doute, le tourmentait. Lancinante, cette question éclata entre les murs de la salle à manger pour se répercuter, tel un écho, sur ses boiseries de chêne :

— Et vous, Flora, vous avez fait des études ? On m'a dit que vous étiez enseignante avant de venir à Boston. Où donc avez-vous étudié ?

La question flottait dans l'air. Elle qui n'était jamais sortie de son village avant de venir ici, où donc, en effet, avait-elle étudié ?

L'espace d'un éclair, elle revit l'école du village, son école qu'elle avait tant aimée, là au fond de la route où se dressait une lourde croix en bois patiné par le temps et dont le socle, au printemps, se perdait dans les myosotis et les tiges de muguet. C'était la croix dite « de Jacques Cartier » frappée de trois fleurs de lys et devant laquelle, chaque vendredi, les écoliers faisaient le salut au drapeau.

Quant à l'école, constituée d'un seul bâtiment rectangu-
laire en bardeaux de la blancheur badigeonnée d'un lait de
chaux, elle était pourvue de larges fenêtres et orientée au
sud, afin de laisser entrer le soleil et la lumière. Elle eut une
pensée pour Thomas, le noyé, qui avait donné au toit de
l'école une couleur «rouge agréable», comme il le disait
lui-même, par «l'oxydation de sable jaune chauffé et dé-
layé dans l'eau», lui avait-il expliqué. Son école s'appelait
«École de Rustico» en l'honneur des premiers colons acadiens venus fonder le village de Saint-Alexis-de-Matapédia
et qui étaient nés eux-mêmes à Rustico, sur l'Île-du-Prince-
Édouard.

Mais où avait-elle donc étudié?

Flora sentit un fluide étrange, mélange de gêne et de
fierté, lui traverser le cœur. Le sang ne lui montait-il pas
aux joues? Comment expliquer à ce savant tous les bonheurs ressentis, des bonheurs violents tant ils apportaient,
par la bouche de Mme Georgina, des mots nouveaux, des
savoirs, des connaissances, des moments d'extase? – comme
si le fait de découvrir et d'apprendre constituait déjà le
premier chaînon de son identité.

Mais où avait-elle donc étudié?

Elle regarda paisiblement, un brin rêveusement, Edward dans les yeux et…

– Tout ce que je sais, dit-elle simplement, je l'ai appris
des femmes qui, avant moi, ont enseigné à l'école du village. Elles ont appris et transmis comme je l'ai fait après
elles, comme elles.

Edward reprit sa question différemment.

– Vous n'êtes jamais entrée dans une autre école? Vous
n'avez jamais vu une autre école?

– Non.

– C'est votre seule école ?

– Oui.

L'interrogatoire continuait, serré. Marie et James laissaient aller les choses. Ils connaissaient l'esprit clair, ordonné de Flora, la force tranquille qui émanait d'elle quand son intelligence avait atteint la certitude qu'elle recherchait. Les forces intellectuelles qu'elle avait acquises n'étaient pas passées par les circuits d'un savoir établi.

– Et qu'avez-vous enseigné, continua Edward, à l'école de Saint-Alexis ?

Flora eut un large sourire et un éclair lui traversa les yeux. Elle rejeta la tête en arrière et son regard parut soudainement hautain.

– Je me suis engagée très jeune, dit-elle, à transmettre aux enfants du village un double héritage que je considère comme essentiel : la langue française et l'histoire de notre pays, afin que nous sachions tous, eux comme moi, que nous venons d'abord de la France. Je suis d'avis que ce sont là, Edward, les pierres d'assise de notre survivance.

Alexis et William, à qui on avait permis de quitter momentanément la table, revenaient pour le dessert tant attendu : la *Boston cream pie*, cette fine génoise fourrée de crème pâtissière et recouverte d'un mince glaçage au chocolat. Ils avaient cependant entendu le mot « école » et s'écrièrent tous deux :

– Le maître ambulant, Flora, il faut le raconter !

Marie et James souriaient, les enfants insistaient, Edward écarquillait les yeux :

– Un maître ambulant ? Qu'est-ce que ce maître ambulant ? finit-il par demander.

– Eh bien, répondit-elle, il s'appelait M. Grégoire et nous disait volontiers qu'il était un colporteur de connaissances. Il passait de village en village et donnait, aux petits comme aux grands, des rudiments d'écriture et de calcul. Il écrivait des lettres d'amour pour les gens qui ne savaient pas écrire ou des messages pour la parenté partie au loin.

– La besace, la besace ! réclamèrent les garçons.

– M. Grégoire survenait à Saint-Alexis sans avertir, ni choisir le mois ou la saison. Il arrivait avec son encrier de corne sur la hanche et sa besace en loup-marin sur l'épaule. Cette besace contenait à mes yeux – car Susannah lui réservait avec beaucoup d'honneur le banc du quêteux – deux trésors dont la seule vue me faisait bondir le cœur : un alphabet et une ardoise. M. Grégoire me les prêtait tous les deux. Mille fois, je les ai regardées, retournées, palpées, mises l'une à côté de l'autre, ces lettres de l'alphabet, comme si un appel indéfinissable m'amenait vers un mystère que je pourrais, un jour, résoudre. M. Grégoire repartait quand il avait épuisé son bagage de connaissances puis reprenait son enseignement dans le village voisin.

– Et la phrase, la phrase ! clamèrent les garçons.

– Avant de nous quitter, le maître ambulant répétait toujours la même phrase : « Il faut apprendre, Flora. Il faut d'abord apprendre à lire. Si tu apprends à lire, même ici dans ton village de Saint-Alexis, le monde entier s'ouvrira devant toi. » Ce goût d'apprendre et de lire ne m'a jamais quittée. C'est pourquoi je suis venue à Boston. Je veux apprendre à soigner les gens. Et je vous remercie, Edward, d'avoir trouvé pour moi, par l'entremise de James, le traité de médecine du Dr Napheys.

Flora le regarda avec reconnaissance et, à la dérobée, regarda aussi son cousin, le Dr James McLean. Un amour qui se révélerait dans le partage de transmettre et d'apprendre ne pourrait-il pas devenir un amour possible ? était-elle en train de plaider pour elle-même.

Mais, tout aussi curieusement, elle ressentit pour la première fois, à travers les nervures chaudes de sa tête, l'urgence d'arracher et de jeter au loin ce vêtement d'illusion qu'elle s'était collé elle-même à la peau. Depuis quelque temps, elle réalisait que cet amour imaginaire dirigé vers le D^r McLean l'empêchait de se réapproprier son passé. L'ombre de la réalité lointaine de Saint-Alexis vint l'effleurer. La veille, un cauchemar étrange l'avait bouleversée.

C'était l'été. Elle portait une robe rose vif légèrement serrée à la taille, aux manches courtes, comme les femmes de Boston. Blottie dans les herbes au fond d'un champ, elle voyait de loin sa famille et les gens du village réunis autour de la croix du chemin qui marquait l'emplacement de la première église, celle des pionniers. Elle essayait de se rendre jusqu'à eux en rampant sur les coudes mais quelque chose la paralysait. Néanmoins, elle entendait et voyait son père qui passait d'un voisin à l'autre en battant sa coulpe.

– Notre fille, Flora, n'aurait pas dû partir. Elle nous oublie petit à petit depuis qu'elle habite là-bas, loin de nous, aux États-Unis.

Joseph-Octave parlait comme un prophète :

– Je sais que, maintenant, Flora ne voit plus que la ligne du village et que la forme confuse de nos maisons. Les membres mêmes de sa propre famille lui sont devenus presque irréels, clamait-il en gémissant.

Quant à Susannah, vêtue de sa robe en calicot noir, elle approuvait en hochant la tête alors que ses doigts tordus par les lessives domestiques s'enroulaient autour des grains du chapelet « contre le tonnerre » offert par Thomas, le Métis. Et Flora entendait, à travers les tiges de blé qui vacillaient au gré du vent, une litanie sourde qui se répercutait inlassablement en une seule et même incantation : « Jusques à quand te rebelleras-tu, fille perdue de la Vallée ? »

La fête de la Thanksgiving s'achevait. Visiblement heureux, Edward avait quitté la maison des McLean peu avant minuit. À James qui le raccompagnait, il avait glissé :

– Votre cousine Flora est dotée d'une beauté singulière. Je crois que c'est une femme qui possède des qualités morales… utiles.

Quelques jours plus tard, Edward avait adressé deux plis au nom de « Mademoiselle Flora Martin ». On pouvait lire dans le premier : « Connaissez-vous Honoré de Balzac ? Dans un de ses romans, *Les Petits Bourgeois*, je crois, il a écrit : "Vous étiez bien belle, je vous reverrais souvent dans cette petite robe de mousseline de laine aux couleurs d'un tartan de je ne sais quel clan d'Écosse." »

Le deuxième pli disait : « Permettez-moi de vous offrir lors de notre prochaine rencontre, en place et lieu de votre petite croix noire scintillante mais fausse – "comme un diamant du Canada", n'est-ce pas ? –, le collier de fines perles pêchées près des rives du Pacifique et ayant appartenu à ma mère, Marjory Bruce MacRae. Je vous transmets également ces quelques mots vraisemblablement tirés du Livre des Proverbes, trouvés dans l'écrin et écrits de la main de mon père :

« Qui trouvera une femme vaillante ?
Elle est plus précieuse que des perles
Son mari lui octroie sa confiance
Il ne manquera pas d'en tirer profit
Tous les jours de sa vie, elle fera son bonheur
Et son malheur, jamais. »

Flora était sidérée. « En tirer profit ? » Qu'y avait-il donc sous cette expression qui lui broyait le cœur ? De plus, cet homme ne pouvait-il pas s'exprimer par lui-même ? Edward MacRae parlait comme un livre. Que connaissait-il des gens simples et des choses de la vie ? Machinalement, elle pensa au loup-cervier qui, selon son père Joseph-Octave, une fois sa proie débusquée, s'éloigne puis se rapproche tout en décrivant un grand cercle qu'il suit sans cesse.

Elle ne voulut pas le revoir. Son ancêtre, Pierre Martin, était venu du Poitou, vieille province de France, sur la *Grâce de Dieu*. Les ancêtres d'Edward étaient venus d'Angleterre, sur le *Mayflower*. La liberté d'esprit, le goût de l'aventure, la façon de vivre, la saveur de la langue, les questionnements religieux n'étaient pas les mêmes. Les vagues de fond, immémoriales, qui avaient, pendant des siècles, raclé le terreau fertile des océans menant vers l'Amérique, n'étaient pas non plus les mêmes.

Flora Martin de Saint-Alexis-de-Matapédia ne voulait pas d'une chaîne, fut-elle nacrée. Sa décision, elle l'avait prise depuis longtemps. C'était celle de la liberté d'esprit contre l'obscurantisme et, surtout, contre le dogmatisme.

Elle était à la recherche d'un homme libre.

VIII

C'est à travers le mouvement rythmé du train que Flora s'était remémoré les moments de vie reliés à son séjour à Boston dans la famille de Marie et de James. Elle en ressentait une sorte de fierté diffuse : les connaissances venues des livres, des gens qu'elle avait côtoyés, de l'apprentissage médical transmis par le D^r McLean étaient devenues intimement les siennes. Elle se découvrait sensible à la résonance de ce savoir acquis par l'attachement des notions les unes après les autres. Son séjour à Boston l'avait profondément transformée.

Depuis peu, le chef de train avait annoncé aux passagers leur transfert sur l'Intercolonial canadien vers Lévis, au Québec. Boston se fermait définitivement derrière elle. La vallée de la Matapédia était très loin, devant elle.

C'est alors qu'elle se mit à trembler de froid. La fébrilité des passagers, les portières des wagons que l'on ouvrait et fermait avec fracas, le convoi bigarré des bagages, l'odeur du train la prirent à la gorge. Elle grelottait sous son chaud plaid écossais et remonta son écharpe sur sa nuque. Hypnotisée, elle fixait les rails en acier laminé qui se croisaient et s'entremêlaient avant d'être balisés par les cheminots qui agitaient leurs fanaux de couleur. Vers quel destin l'emportaient donc ces rails gris et lisses? Comment elle, Flora Martin, érigerait-elle ses propres balises au milieu de ce «village perdu», comme l'avaient appelé ironiquement Gabriel et Edward?

Ce village qui portait le nom de Saint-Alexis-de-Matapédia était profondément relié aux fils historiques de l'épopée tragique du peuple acadien. Quoique les ancêtres de son père – Pierre et Mathieu Martin – fussent venus de France dès 1636, leurs descendants ne s'y sentaient plus chez eux. Déjà, ils avaient subi l'épreuve du traité d'Utrecht par lequel, en 1713, la France cédait l'Acadie – qui deviendrait la Nouvelle-Écosse – à l'Angleterre. Plus tard, ils avaient dû signer le serment d'allégeance à la Couronne britannique. Enfin, la famille Martin avait échappé à la déportation de 1755 en se cachant dans les bois qui longeaient le littoral de l'Atlantique Nord, puis en se réfugiant à Rustico, dans le mince territoire français de l'île Saint-Jean, que l'on nommera, après la Conquête, l'Île-du-Prince-Édouard. Ces Acadiens, qui se pensaient sauvés, n'étaient cependant pas au bout de leurs peines.

Quelques années plus tard en effet, la forteresse de Louisbourg, ultime barrière française en Atlantique Nord, tomba aux mains des Anglais. Dépossédées de leurs terres, tolérées mais constamment surveillées, les familles acadiennes devinrent encore plus vulnérables. La misère s'installa au sein de la minorité française et catholique. Où trouver un coin de pays pour ces Acadiens qui n'étaient plus chez eux sur leurs propres terres et qui voulaient, à tout prix, sauvegarder leur langue et leur foi?

À cette époque, le gouvernement du Bas-Canada offrait justement des terres aux jeunes ménages prêts à émigrer. Ces terres, situées dans le canton de Matapédia au Québec, regorgeaient, leur avait-on dit, de sols fertilisés par les cendres de l'épaisse forêt primitive incendiée dans le passé. Tout ce territoire compris entre l'ouverture de la baie des Chaleurs et celle du fleuve Saint-Laurent était alors à peu près désertique.

C'est ce que l'on racontait à satiété dans les veillées au village et, chaque fois, Flora était fière de sa famille. Car, malgré la forte opposition de certains Acadiens qui prétendaient que l'on voulait envoyer des familles mourir de faim au milieu des bois du Canada, Joseph-Octave Martin s'était embarqué avec quelques compagnons à bord de la goélette *Rustico* qui fit d'abord voile vers le Nouveau-Brunswick. Puis, un steamer les transporta vers une barge qui, à son tour, les amena à la tête de la rivière Ristigouche. Ces pères de famille explorateurs avaient pour patronymes Doiron, Blaquière, Pitre, Gallant et Martin. Ensemble, ils pagayèrent en canot jusqu'au pied du « sentier des Indiens » qui, tout en contournant des montagnes, les conduisit sur un plateau dont les Micmacs parlaient avec grande admiration car, disaient-ils, l'air y était vivifiant, les rivières rutilantes et la forêt giboyeuse.

Oui, Joseph-Octave avait souvent raconté à ses enfants comment, rendus sur le sommet plat de la montagne, ils avaient tous compris, lui et ses compagnons, que c'était là. Pendant quelques minutes, ils s'étaient tus devant ces terres immenses qui s'offraient à eux, qu'ils allaient découvrir peu à peu et défricher. Ils avaient serré dans leurs mains de paysans une poignée de terre, une belle terre jaune, sans roches pour la culture et entourée d'érables pour le sucre au printemps. Débordants d'espoir, ils voyaient déjà, à travers le clair-obscur des arbres qu'il faudrait abattre, le toit et les murs d'une maison qui serait cette fois fixée, enracinée dans ce sol fertile. La vie. La vraie. La dure. L'heureuse vie les attendait au-dessus de cette montagne de la chaîne des Appalaches. Oui, ils mettraient des arpents de terre à la charrue, ils sèmeraient, récolteraient, leurs femmes feraient cuire le pain, car le blé y abonderait et le foin pousserait, les enfants ne seraient plus déracinés mais courraient à travers les friches et l'odeur âcre et chaude des feux d'abattis. C'était l'automne, c'était en 1860 et la future paroisse de Saint-Alexis-de-Matapédia comptait vingt-six âmes. Cette histoire que l'on se transmettait était magnifique.

Flora frissonna de nouveau et ferma légèrement les yeux. La tradition séculaire exigeant que l'aînée d'une famille doive répondre à l'appel de ses père et mère venait de la sortir de sa rêverie. Elle eut l'impression qu'elle vacillait comme la flamme de la lampe quand le vent de l'hiver rentre dans la maison.

En aval de Québec, le train de l'Intercolonial s'ouvrit soudainement sur le fleuve Saint-Laurent. Pour Flora, ce fut un éblouissement. Où était le commencement de ce fleuve gigantesque, où en était la fin? Ses yeux restaient fixés sur l'immensité de cette eau encore brassée par le fond et qui passait d'un bleu acier au vert froid de l'Atlantique. Presque violemment, étonnée, fascinée, elle ressentit le besoin urgent de jeter dans ce fleuve immense ses peurs, ses hontes, les dernières images du Dr James McLean et ses remords. Se délester de ses brûlures qui brûlaient encore, se nettoyer l'âme avant de rentrer au village. Lui revinrent quelques bribes d'un poème oublié: « J'avais au cœur l'épine d'une passion, je l'arrachai un jour.» C'était ce jour. Face au fleuve.

En ce début de décembre, cette «grande rivière», comme l'avait nommée Jacques Cartier, était déjà parsemée de larges filaments de glace. Les derniers rayons du soleil ajoutaient une lumière éclatante, presque aveuglante, à ce fleuve sauvage qui, à la limite de l'horizon, rejoignait la courbe du ciel. L'eau. La terre. Ces villages qui, depuis les premiers temps, vivaient avec le fleuve. Et surtout, se dit Flora, cette persistance du peuple canadien-français à exister. Oui, la persistance. C'était là le mot qu'elle trouvait le plus juste pour exprimer la fidélité indéfectible des Canadiens français à leur mère patrie qui les avait abandonnés à l'Angleterre à la suite de la guerre de Sept Ans et du traité de Paris en 1763. Le rêve d'une immense Amérique qui aurait pu être française, mais qui serait anglaise, s'était terminé en cette deuxième partie du XVIIIᵉ siècle. Et pourtant…

Pourtant, à la faveur des arrêts, elle avait entendu courir à travers les wagons du train des noms de régions ou de villages : comté de Bellechasse, Rivière-du-Loup, région de Kamouraska, Trois-Pistoles, Bas-du-Fleuve, autant d'exclamations affectueuses lancées comme des onomatopées triomphantes gardées longtemps sous la langue.

C'étaient des Canadiens français qui revenaient chez eux après avoir travaillé quelques années à Lowell, ville industrielle située au nord de Boston. Issus de familles rurales nombreuses, la terre paternelle ne suffisant plus à les nourrir ou à les doter d'un lot, ils étaient allés se faire embaucher en grand nombre dans les usines de la Nouvelle-Angleterre. Ils avaient vécu dans les *mill towns*, villes manufacturières spécialisées dans l'industrie du textile. Ils avaient travaillé dans les filatures de coton, ces usines en briques rouges dont ils se parlaient entre eux. Que venaient-ils donc retrouver? La plupart avaient ramassé assez d'argent pour s'acheter une terre bien à eux et retrouver justement, disaient-ils avec émotion, les amours qu'ils avaient laissées au pays. Et elle, Flora Martin, où étaient donc ses amours? Dans quelle maison introuvable respirait cet homme vers lequel elle tendait depuis tant d'années désespérément les bras?

Flora ne tentait plus d'échapper à la nostalgie. L'éblouissement ressenti à la vue du fleuve Saint-Laurent continuait de l'habiter. Lui revint en mémoire l'histoire de *La Capricieuse* qu'on lui avait racontée à l'école et qui l'avait bouleversée.

Cette histoire remontait à l'été de 1855. Aucun bateau battant pavillon français n'avait accosté – depuis la Conquête – dans l'un ou l'autre des ports du territoire laurentien, désigné d'ailleurs par la Proclamation royale de 1763 sous le nom de Province of Quebec. La France, craignant sans doute les débordements émotifs de son peuple laissé dans ces «quelques arpents de neige» depuis près d'un siècle, avait tenu à préciser que M. de Belvèze, commandant de *La Capricieuse*, ne venait au Canada qu'en mission économique. C'était sans connaître l'affection encore vive des Canadiens français à l'égard de la mère patrie. Déjà, les habitants s'avertissaient d'un village riverain à l'autre et clamaient: «Nos gens sont revenus… ils sont revenus!» Les ovations, l'enthousiasme délirant, les cris de joie fusaient de toutes parts dès que l'on apercevait *La Capricieuse* et, pendant quelques semaines, le Canada britannique était redevenu la Nouvelle-France.

La légende raconte même qu'on aurait décroché de force le pavillon de *La Capricieuse* afin de pouvoir l'embrasser et de s'en partager les lambeaux comme on l'aurait fait d'une relique. Et Flora se laissa bercer par les réminiscences d'un poème écrit par Octave Crémazie peu de temps après le passage de *La Capricieuse* à Québec. Ce poème intitulé «Le vieux soldat canadien» appelait encore la France:

«Dis-moi, mon fils, ne paraissent-ils pas?

Qui nous rendra cette époque héroïque
Où, sous Montcalm, nos bras victorieux
Renouvelaient dans la jeune Amérique
Les vieux exploits chantés par nos aïeux?»

Et par cet autre poème débordant d'enthousiasme écrit par Louis Fréchette dans sa *Légende d'un peuple*:

«On entendait là-bas, de leur voix mâle et forte,
Nos enfants, relevant le drapeau des grands jours,
Crier au monde entier:
                    – La France vit toujours.»

Le jour tombait et les ombres de la nuit envahissaient peu à peu les compartiments du train. À travers les vitres du wagon, on ne voyait plus que de faibles lueurs indiquant les petites gares des villages. Dans quelques heures, le train s'engouffrerait dans la vallée de la Matapédia, serpentant à travers rivières et montagnes. La glace de la rivière devait être noire avec son fond sans lumière. Noire, très dure, très froide.

Elle se recroquevilla au fond de la banquette. Ramassée sur elle-même, engourdie par le rythme régulier des roues des wagons et dans le vague du sommeil des rêves, elle sentit que se dissipait peu à peu cette sensation d'étrangeté qui l'avait enveloppée depuis son départ de Boston. Elle entrait lentement dans la profondeur de ce terrain des songes où sont enracinés les souvenirs. Un tourbillon d'images l'emportait – chavirée, presque consentante – vers sa famille, vers son village natal bâti en haut de ces montagnes accroupies, comme d'immuables sentinelles, tout au long de la vallée de la Matapédia.

IX

C'est quand le train stoppa à la gare de Matapédia qu'elle aperçut au loin, par l'embrasure de la porte du wagon, son père, Joseph-Octave. Sa silhouette immense, immobile, hiératique, se découpait dans le ciel bleu d'hiver, comme si, depuis toujours, il faisait partie de ce ciel. Quelques minutes plus tard, il l'encerclait fermement dans ses bras robustes et elle s'abandonna complètement, son corps serré contre le long manteau gris en laine foulée. Ce moment d'abandon lui mit les larmes aux yeux, mais elle crut soudainement qu'elle devait desserrer l'étreinte. Le déterminisme séduisant, issu des traditions séculaires, pourrait tenter de la bâillonner de nouveau. Car elle revenait dans son village seule mais décidée à se maintenir dans la clarté de son destin et de son idéal.

– Florence, dit Joseph-Octave, en la regardant de ses yeux qu'il avait petits et bruns mais qui vous pénétraient. Florence, accentua-t-il, tu es revenue.

Il ne l'appelait Florence que dans les grandes occasions.

– Oui, père, je suis revenue, fit-elle en le regardant elle aussi jusqu'au fond des yeux.

Il s'affairait maintenant à placer les bagages dans la carriole familiale puis à envelopper Flora dans les peaux de mouton déjà étendues sur le siège. Émue, Flora nourrissait son regard de la chaude couleur sang de bœuf de la carriole, de ses patins lisses qui brillaient au soleil, des volutes qui ornaient ses quatre coins pendant que «la Rousse» commençait déjà à faire glisser doucement le traîneau d'hiver. La jument connaissait la route d'instinct et tirait «franc dans le collier», comme le répétait avec confiance Joseph-Octave.

L'air était ainsi que Flora l'aimait : vif et sec. Elle sentit le besoin d'avaler goulûment cet air aussi limpide que la source vive coulant des montagnes. Elle respira à pleins poumons.

Joseph-Octave parlait peu, concentré peut-être à établir le trot de la jument sur la route rendue étroite par les bancs de neige. Flora en était quand même étonnée lorsque, soudainement :

– Ta pauvre mère...

Il hochait la tête avec une certaine impatience.

– Ta mère... continua-t-il. Susannah... C'est comme si, diraient les gens de bord de mer en Gaspésie, c'est comme si elle s'était laissée couler dans les eaux de la morte-mer. Elle pleure.

Il l'invita à regarder vers la gauche, lui indiquant le sapin entouré d'une corde rouge, au tronc droit et aux branches égales qu'il avait déjà choisi comme sapin de Noël.

Il était clair que Joseph-Octave allait laisser sa fille découvrir par elle-même le sens de la lettre expédiée à Boston.

En traversant le pont qui menait à la route du village, Flora jeta un coup d'œil à la rivière Matapédia dont les

Indiens disaient qu'elle avait les eaux chantantes. Elle était déjà à demi raidie par les glaces, quoique, au loin, les rapides du Diable écumaient encore à travers les roches couleur gris mouillé. C'était dans ces eaux rendues tourbillonnantes par les pluies du printemps que s'était noyé en plein été Thomas, le Métis, celui qu'elle aurait pu aimer pour toujours.

— Hé, la Rousse, tasse à droite, clama brusquement Joseph-Octave, en tirant sur les rênes. J'entends des grelots en amont de la courbe.

C'était Cyrille Dufour, le maquignon du village, dont le visage rond et rieur éclatait de curiosité.

— Si c'est pas de la visite des États! lança-t-il avec entrain. Bienvenue à notre belle Flora!

Son cheval, harnaché du cuir le plus luisant qui soit, portait une bride recouverte de pompons rouges ficelés serré.

— La Petite Marquise décore même les chevaux de son mari, s'exclama Joseph-Octave.

Flora sourit. Elle aimait l'aspect coloré des gens de son village et particulièrement celui de la famille Dufour.

— Et son frère Jules, demanda Flora à son père, Jules Dufour, comment va-t-il maintenant?

C'est dans la deuxième année de son séjour à Boston que Flora avait appris la tragique nouvelle. Joséphine Allard, femme de Jules Dufour, déjà mère de quatre enfants, était morte en couches. Morte au bout de son sang, dans les draps blancs qu'elle avait elle-même lavés puis étendus dans le lit et qui étaient devenus son linceul. Morte en donnant la vie à la petite Joséphine, prénommée comme sa mère et qui avait été adoptée quelques heures après sa

naissance par Alphée, frère de Jules, et par sa femme Adélaïde.

On avait évoqué, bien sûr, les tempêtes de neige toujours fortes en janvier, les routes qui, bouchées par la poudrerie, avaient empêché l'arrivée de la sage-femme. Et Flora,
bouleversée, avait parlé longuement à James et à Marie de
l'indescriptible angoisse de ces femmes du village qui portaient elles aussi les enfants à venir, les attendaient elles
aussi, et dont le visage affable laissait néanmoins transpa-
raître la résignation grave du silence, de l'éloignement, de
l'isolement.

– Jules Dufour a frôlé le désespoir, répondit Joseph-
Octave. Il a verrouillé la porte de sa forge. Il ne parlait plus,
ne travaillait plus. Ses quatre autres enfants avaient été pris
en charge par la parenté. Heureusement, la famille Dufour, c'est une famille unie, soudée et aucun malheur ne
peut la désunir, ajouta-t-il avec respect.

Cette famille avait toujours intrigué Flora. Venant de la
région de Kamouraska, arrivé à Saint-Alexis vers les années
1880, le père, Ambroise Dufour, avait acheté la longue lisière qui, partant de l'église du village, descendait vers la
rivière Ristigouche. Plusieurs de ses fils s'étaient établis
dans son voisinage, de sorte qu'on parlait du «canton des
Dufour» et que ce clan canadien-français, tombé au milieu des familles acadiennes arrivées dès 1860, apportait ses
différences.

Tous avaient en commun un esprit d'indépendance farouche en même temps qu'une certaine tendance à la rêverie. «Des enfants de Bohème», murmuraient certaines gens
du village. Là où ils s'étaient installés, la nature était plus
sauvage. Des champs à demi déboisés y vallonnaient pares-

seusement. Un ruisseau clair, pétillant d'écume sur ses roches glissantes, avait creusé son lit entre deux de leurs terres. Le gibier qui venait s'y désaltérer avait tracé un sentier naturel. La coulée était devenue incontestablement le fief de la famille Dufour.

Les gens de Saint-Alexis prétendaient cependant que seul Alphée, l'aîné des trois frères, défrichait et cultivait son lot avec bon sens. Dans son village natal de Kamouraska, il avait acquis, grâce à l'école d'agriculture de la région, des notions d'agronomie. Persuadé que l'on pouvait établir des équations précises entre le sol, le climat et les espèces cultivées, Alphée tentait d'appliquer ces notions. On le voyait arpenter ses champs, tournant et retournant la terre avec patience. Il prenait le temps de l'observer, de la comprendre, de la scruter à travers les nombreuses strates qui s'étalaient là depuis les âges anciens. Convaincu de la noblesse de l'agriculture, Alphée avait fait sienne, disait-il, la devise implantée sur les bords du Saint-Laurent par les ancêtres venus de France. Cette devise, *Par la Croix et la charrue*, s'accordait d'ailleurs avec son penchant d'homme d'Église et il était devenu le maître-chantre de la paroisse.

«Une voix teintée d'eau bénite», disait en riant son frère Cyrille.

«Un grand livre qu'il se lit à lui-même», ajoutait – peut-être avec une certaine envie – son frère Jules qui savait à peine lire.

Du même coup, Jules se référait aux réunions du Cercle agricole fondé par Alphée. En effet, quand celui-ci, malgré sa stature massive et osseuse, s'avançait au bout de sa chaise, se fermait à demi les yeux et se mettait la bouche en cœur, on ne savait plus s'il allait entonner le *Kyrie* ou s'il allait exhorter les jeunes à ne pas délaisser la terre pour les chantiers ou des travaux sur la route.

« Le salaire tue l'agriculture », répétait-il tout en affirmant que, si on servait bien la terre, elle nous servirait en retour. Promettant aux futurs adhérents au Cercle agricole « huit livres de trèfle et autant de mil », il admonestait vigoureusement les chefs de famille qui auraient oublié la redevance au curé.

« La septième botte de foin et le septième minot de patates, sans oublier les deux cordes de bois. Et tout cela, avant la Toussaint. »

On écoutait Alphée à cause de sa pensée bien ordonnée et pour une autre raison plus mystérieuse dont on ne parlait pas mais que tous connaissaient.

Avec Joseph-Octave Martin, Alphée Dufour avait été élu au Conseil des cinq cantons pour représenter la région de Matapédia qui, née entre l'eau et les épinettes, foisonnait de gibier et de saumons. Les colons acadiens et canadiens-français avaient misé rapidement sur ces cadeaux offerts par la nature. Chaque clan familial avait établi son abri dans les bois et sa cache dans le tournant des rivières. Alphée et Joseph-Octave savaient que, d'instinct, les gens du village respectaient le rythme de vie et de croissance des bêtes parce qu'ils en connaissaient les saisons du rut, du frai et des naissances. Ce dont ils se souciaient cependant beaucoup moins, c'étaient des directives du lointain gouvernement qui promulguait des lois sur la chasse et la pêche, les amendait à sa guise, émettait ou n'émettait pas de permis, enquêtait inopinément sur le nombre de têtes abattues ou de saumons sortis de l'eau. Quand le représentant du gouvernement se mettait ainsi à énoncer ce que tous les habitants considéraient comme des racontars, Alphée et Joseph-Octave restaient impassibles, gardaient tous les deux sereinement le silence, connaissant leurs gens et se fiant à eux. Il s'agissait là d'une solidarité tacite pour la liberté et même pour la survie.

Adélaïde, femme d'Alphée, l'appuyait dans tous ses palabres. Elle portait, depuis toujours aurait-on dit, des collets de dentelle qui s'ajouraient sur ses robes foncées et lui conférait la tranquille beauté d'un camée et la sage piété d'une icône. Patriote et artiste, ses enfants devenus grands, Adélaïde avait pu réfléchir longuement à l'ensemble des caractéristiques qui avaient façonné l'esprit du village. Elle en avait dessiné les armoiries qu'elle avait clairement expliquées au conseil de la paroisse.

« La couleur azur pour rappeler les drapeaux français et acadien. Les écots – ces troncs d'arbres – formant la croix de Saint-André pour illustrer le défrichement des terres. L'étoile pour évoquer le souvenir des premiers colons acadiens venus de l'Île-du-Prince-Édouard. La fleur de lys pour représenter les Canadiens français venus de la région de Kamouraska. Le chardon, symbole de l'Écosse, pour remercier le groupe d'Écossais du canton de Matapédia qui ont aidé à l'organisation civile de la paroisse. La croix latine pour exprimer la foi des ancêtres transmise aux habitants du village. Les gerbes de blé pour souligner l'abondance agricole ; les saumons pour mettre en relief les riches eaux poissonneuses des rivières Matapédia et Ristigouche. Les feuilles d'érable pour signifier la fidélité à notre patrie, le Canada. » Et de sa belle calligraphie d'ancienne institutrice, elle avait écrit, sous le blason, la devise des pionniers : *Par le Courage, la Foi et la Persévérance.*

Quant à Jules Dufour et à son frère Cyrille, ils ne semblaient pas éprouver cette passion de défricheurs et d'agriculteurs qui habitait d'ordinaire les nouveaux arrivants au village. Ils allumaient eux aussi des feux d'abattis, mais tout juste assez pour agrandir annuellement de quelques hectares leurs terres, qu'ils cultivaient sans hâte, avec mesure et précision.

Non, ils ne ressemblaient pas aux Acadiens, ces Canadiens français venus du Kamouraska. Plus petits de taille, la démarche vive, ils ne portaient pas de barbe et leurs cheveux touffus et drus étaient coupés au plus court. Remplis de joie de vivre, ils n'avaient pas cet apitoiement que l'angoisse de la Déportation avait façonné depuis plus d'un siècle chez les Acadiens. Rieurs, hâbleurs, ils se vantaient au contraire d'avoir appris, depuis la Conquête, à «se glisser comme des truites entre les mains des Anglais». Prompts à rendre service, ils organisaient spontanément une corvée si une famille, frappée par le malheur, avait besoin d'aide. Vifs à la besogne, tous adroits manuellement, ils guettaient leur chance comme des chasseurs sûrs d'eux, qui savent d'instinct qu'ils finiront par attraper le gibier. Ils savaient qu'on aurait besoin d'eux.

C'est sans doute pourquoi Cyrille, le deuxième fils de la famille Dufour, s'arrêtait quotidiennement au magasin général de Joseph Arsenault, un autre Acadien venu du comté de Bonaventure. Il surgissait en trombe, col ouvert à tout vent, lançait un bonjour jovial et vantait la force de ses chevaux, les plus robustes percherons du village qui réussissaient, disait-il, à déraciner les souches au ras du sol.

«Vous comprenez, avec le garrot puissant et les jarrets solides que possèdent mes pommelés d'enfer, rien ne leur résiste.» Et, fantasque, il se tapait les cuisses en riant à l'avance de quelques histoires «que l'on ne raconte pas aux femmes».

Cyrille Dufour connaissait mille histoires à faire peur, mille histoires qui «sentent la chair», murmurait-il d'un ton salace en regardant avec une complicité joyeuse les hommes qui l'entouraient. Replet, le visage aviné par les «petits boires» quotidiens, il possédait sans le savoir tout du comédien, élevant et baissant la voix, gesticulant, envoûtant son auditoire. Puis, subitement, dans un éclat de rire sonore, il disparaissait pour aller, clamait-il, «fouetter ses chevaux» dans les chemins de roulage du canton de Matapédia.

Cyrille avait appris de Maggie McLean la légende entourant la mort de l'auteur écossais Walter Scott qui aimait passionnément les chevaux. Celui-ci avait pris l'habitude d'une promenade quotidienne en calèche, pendant laquelle il s'arrêtait une demi-heure face à des montagnes qu'il aimait. Or, le jour de ses funérailles, ses chevaux, qui traînaient cette fois le corbillard, s'arrêtèrent au même endroit pendant une demi-heure, comme s'ils avaient été conscients d'offrir à leur maître sa dernière promenade. Solennellement, Cyrille avait juré à Joseph Arsenault: «Mes percherons, c'est devant ton magasin général qu'ils s'arrêteront, le jour de mes funérailles!»

Henriette, son épouse, était pour le moins indifférente à cette parade. On avait presque oublié son nom car, au village, on l'appelait la Petite Marquise. Menue, sûrement conçue dans «le décroissement de la lune», murmuraient les commères, aussi discrète que son mari pouvait être bavard, elle tissait doucement sa vie à même les tissus, les fils et les couleurs qu'elle obtenait par la décoction d'écorces d'arbres et de plantes. Elle avait habillé de guipures toutes les fenêtres de sa maison. Elle raffolait des voilettes, dont elle couvrait ses chapeaux, se confectionnait des robes dont le col et les poignets débordaient de dentelle.

« Elle m'a enrubanné », disait Cyrille en souriant de ses dents généreuses.

« Elle t'a passé la dentelle au cou », répliquaient ses amis du magasin général.

Quoi qu'il en soit, Cyrille Dufour, mi-sérieux, mi-badin, était devenu le maître-cantonnier des chemins de la Vallée et le maquignon à l'instinct le plus sûr, malgré quelques jaloux qui l'accusaient de ne jamais aller droit au but mais d'être éminemment passé maître dans les finasseries.

Restait Jules, dernier fils de la lignée Dufour, qui avait, encore plus que ses frères, toujours farouchement défendu son indépendance. Il se tenait loin des cabales, des causes déjà définies et des exhortations qui « sentaient l'encens ». L'œil à la fois tendre et moqueur, porté à aimer inconditionnellement la nature, les bêtes et les hommes, il savait qu'il pouvait être utile à tous, et de cela, il était fier. Forgeron comme son père, charron, maréchal-ferrant, bourrelier, menuisier à ses heures, c'est par le feu de l'enclume qu'il gagnait sa vie. On disait de lui qu'il savait tout faire. Mais lui ne savait pas toujours, au premier coup d'œil, comment il encerclerait cette roue de charrette ou quelle forme prendrait le fer rouge. Subitement toutefois, son instinct très sûr s'allumait, aurait-on dit, au feu même de l'enclume et, quand il se concentrait pour réparer une charrue ou ferrer un cheval, on avait nettement l'impression qu'il échappait à l'immédiat et qu'il travaillait à la façon libre d'un artiste.

Libre et utile. C'est ainsi que Jules se voyait. Tenant davantage du pionnier que du défricheur, il parlait souvent de faire avancer les choses. Penser qu'il pourrait devenir prisonnier d'une seule idée l'impatientait. Il lui fallait, quant à lui, découvrir, inventer, lancer des idées nouvelles pour le village, qui était aussi celui de ses enfants. C'est ainsi qu'un jour, à la surprise générale, il annonça deux nouvelles : la première étant qu'il construirait un moulin à farine, à la tête du ruisseau de la coulée des Dufour. La deuxième étant qu'il avait acheté un lot au village afin d'y construire une forge et une maison au milieu des familles acadiennes, face à la terre de Joseph-Octave Martin. Jules et sa femme Joséphine attendaient leur cinquième enfant.

C'est là précisément que sa vie avait basculé. Du sang, du sang, du sang qui courait s'épancher dans les moindres fibres des draps blancs. Des gémissements d'effroi, suivis de silences où l'on n'entendait plus que le vent qui tournait en rafales folles autour de la maison. Des appels à l'aide, inutiles. Du sang. Des efforts de délivrance qui mettaient en sueur tout le corps de sa femme secoué de spasmes et de frissons. Des supplices de plus en plus faibles, douces comme elle l'avait toujours été. Surtout, ne pas déranger. Accepter. Se résigner, mener jusqu'au bout la naissance de cet enfant qui lui gonflait le ventre. Sur le mur de la chambre à coucher, les ombres étaient devenues grotesques. Dans un dernier sursaut d'amour, elle avait tendu les bras vers son mari et sa petite fille. Le grand miracle de la vie et l'immense mystère de la mort venaient de se rencontrer.

Le naufrage de Jules avait été terrible. Il avait sombré. Il était resté prostré dans sa forge des heures, des jours, des nuits. Son cœur et sa tête éclatés ne sentaient et ne voyaient plus que cette insoutenable vision de sa femme qui mourait en donnant la vie.

Malgré l'affectueuse présence de ses propres parents, des gens du village et même de son ami de toujours, Léonard Martin, fils de Joseph-Octave, il était resté vrillé à un désespoir sans nom, l'âme tourmentée de pourquoi et de comment. Sa femme au cimetière, ses cinq enfants vivant sous d'autres toits, tout était pour lui fini, échappé. Il ne trouverait plus jamais, ni dans la grande cuisine maintenant silencieuse, ni dans son lit devenu vide, la chaude présence de sa femme Joséphine qu'il avait épousée «pour le meilleur et pour le pire». Le pire était dorénavant son lot. Il luttait quotidiennement contre ce qui lui semblait une irréalité qui s'imprégnait dans les lieux et dans le temps.

Un soir de fin d'octobre, cependant, Léonard Martin avait réussi à le convaincre de déverrouiller sa porte. Dans sa forge, Jules portait encore, cousu sur la manche de son bras gauche, le brassard en crêpe noir du deuil de sa femme.

Léonard fut rapide.

– Nous as-tu tous oubliés, Jules? As-tu oublié le village? C'est bientôt novembre, on t'attend pour ferrer les chevaux avant les glaces.

Jules ne répondait pas.

– Les cultivateurs de Saint-Alexis doivent encore traverser deux fois la rivière pour aller faire moudre leur grain. Pourtant, nous avons dressé ensemble les plans d'une meunerie à la tête de la coulée.

Jules eut un haussement d'épaules.

— Ta femme, continua Léonard, te demanderait de continuer à vivre au nom des enfants d'abord, et ensuite pour les gens du village. Moi, ton ami, je te demande, au nom de tous ceux qui ont besoin de toi, de compléter ce que tu as commencé. Bientôt, ce sera le jour des Morts et la criée des âmes. Les rituels anciens sont réconfortants. On dit qu'en novembre le monde des vivants et celui des morts se rapprochent. Viens te recueillir avec moi sur la tombe de Joséphine.

C'est derrière la grille poussée du cimetière que Jules avait raconté à Léonard la joie quotidienne du travail et de l'amour qu'il avait partagée avec sa femme Joséphine. Pour elle, il avait repris son violon afin d'accompagner les airs qu'elle fredonnait, des chansons de marins et de pêcheurs provenant de sa Gaspésie natale. Et brusquement :

— Ce que je vais te dire là, c'est comme insensé mais il faut que je crache le morceau pour arrêter d'étouffer. J'étouffe, Léonard, j'étouffe ! J'ai un air planté dans la gorge comme un couteau.

— Un air ? fit Léonard.

— Joséphine avait l'habitude de chanter tout en travaillant. Elle chantait une complainte que j'écoutais vaguement, mais qui m'est revenue mot à mot. Il faut que je te la chante pour m'en débarrasser.

Léonard restait impassible, quoique les lieux pour chanter une complainte n'étaient peut-être pas des plus appropriés...

En fermant ses yeux d'où les larmes débordaient, s'appliquant à se souvenir, de sa voix grave et tremblante Jules commença :

« La nuit, pauvres orphelins,
Que faites-vous dans la brume
Lorsque les blonds chérubins
Dorment dans leurs lits de plumes ?
Les petits ont répondu :
"Nous n'avons pas de fortune
Notre berceau fut vendu
Notre maman, c'est la lune." »

— Te rends-tu compte, Léonard ? Joséphine chantait cette complainte en berçant ses propres enfants et ce sont eux maintenant qui sont orphelins.

— Orphelins de mère, oui, mais pas orphelins de père, Jules. Tu dois reprendre tes enfants, dit doucement mais fermement Léonard.

Jules continuait. Au printemps, ils étaient retournés dans la baie des Chaleurs. Joséphine y avait retrouvé sa maison de bord de mer, son village, ses amies. C'étaient des soirs de pleine lune, le temps des grandes marées, la saison des amours pour les goélands… et « pour nous deux », avait-il confié avec hésitation.

Il était mal à l'aise, il était plein de douleur. Léonard se mit alors à regarder la grande croix de fer noir dressée à travers les sapins au fond de l'allée du cimetière.

— Léonard, c'est pendant ces nuits-là que nous avons donné vie à cette petite fille qui a fait mourir sa mère. Comprends-tu bien cela, Léonard ? Comprends-tu, toi, cette monstruosité de la nature ? Pourquoi le bon Dieu, qui est censé nous aimer, permet-il ces choses-là ?

Jules, les yeux secs, regardait maintenant les hauts sapins verts qui entouraient le cimetière paroissial tandis que la caresse lourde du vent passait entre leurs branches.

Quant à Léonard, il était submergé par d'autres souvenirs. Combien de fois n'avait-il pas entendu sa sœur aînée Flora se révolter contre la mort des femmes en couches ou contre celle des enfants en bas âge? « Ce n'est pas toujours à cause du bon Dieu, disait-elle. C'est à cause de l'ignorance et de l'inconscience. »

« C'est sans doute pour toutes ces raisons qu'elle est partie étudier à Boston chez notre cousin McLean », avait soudainement réalisé Léonard.

Cependant, Jules continuait:

— J'ai regardé, impuissant, des ruisseaux de sang couler entre ses cuisses, là où, précisément, on fait l'amour à une femme que l'on aime. Je me suis senti responsable de sa mort. On a appelé la mort en faisant l'amour. Je me sens encore coupable de ces nuits-là. Je l'ai fait mourir.

Jules avait parlé longuement et Léonard l'avait écouté, silencieux, protégés qu'ils étaient dans cet enclos étrange situé derrière l'église du village. Jules s'était tu.

— Les arbres ont commencé leur dormance, risqua Léonard.

— Oui, comme ma femme, répondit Jules.

Puis, soudain:

— Viens à la forge demain. Nous allons revoir les plans du moulin à farine. On commencera aussi à séparer les gerbes d'avoine des gerbes de blé.

Et, dans un sourire triste mais complice:

— Ce sera plus facile que de séparer la mort de la vie.

Le lendemain, à peine entouré par la lumière du matin, Jules attisait déjà le feu de la forge. Il dépliait et repliait au pied de la flamme le soufflet en cuir souple de chevreuil qu'il avait lui-même tanné et fabriqué. Puis, il décrocha du support à outils les pinces noires à longs manches, les tenailles aux deux pièces croisées et le marteau en acier trempé. Il déposa près de l'enclume la boîte qui contenait les clous qu'il avait forgés pour ferrer les chevaux. «C'est le croissant de lune, la corne des sabots poussera plus vite», se disait le maréchal-ferrant qui ne voulait surtout pas que les chevaux se blessent en glissant sur la glace.

Son frère Cyrille était arrivé le premier. Il menait par le licou un robuste cheval de trait acheté à la foire aux chevaux de Rimouski. Au fur et à mesure que les habitants arrivaient avec leurs bêtes, Cyrille, inspiré sans doute par les informations contenues dans la *Gazette des campagnes*, brodait et rebrodait son récit.

Il avait vu à Rimouski, racontait-il, des centaines de personnes tournant autour de centaines de chevaux.

«Ces chevaux-là, c'étaient pas des haridelles, mes amis!»

«On vendait, on achetait, disait-il. Les chevaux amenés pour la vente avaient la crinière et la queue tressées avec des rubans colorés que l'on enlevait seulement une fois la vente faite.»

«Et on marchande, mes amis, on marchande!» répétait-il avec les yeux brillants d'un homme qui a vu ce que les autres ne peuvent que s'imaginer et, encore, grâce à lui.

«Et ce n'est pas tout, continuait-il en baissant mystérieusement la voix. J'ai vu des maquignons sans scrupule réussir à vieillir des poulains ou à rajeunir des picouilles. J'ai vu…» Et cette fois il baissa si bien le ton qu'un cercle se forma autour de lui.

« J'ai vu un garçon d'écurie qui, mine de brosser la queue d'une rosse, lui fourra un morceau de gingembre sous le croupion. La rosse a levé la queue aussi haut que celle des chevaux lustrés qui tirent le carrosse de la reine Victoria ! C'est pour dire, mes amis, c'est pour dire ! »

On finissait toujours par rire en compagnie de Cyrille. Mais, soudainement :

« Vas-y l'année prochaine, Cyrille, avec tes percherons ! Si la Petite Marquise se donne la peine de les enguirlander, tu trouveras preneur », plaisantait-on.

Avec pudeur, on se distanciait de la douleur de Jules, mais on ne manquait pas, en le quittant, de lui faire une chaude accolade. Jules souriait. Il avait retrouvé son monde, celui des vivants. De nouveau, il se sentait utile et nécessaire.

Il avait ferré une dizaine de chevaux quand, en milieu d'après-midi, il vit, traversant la route, Joseph-Octave Martin amenant de son pas pesant ses chevaux de ferme. Joseph-Octave impressionnait par sa stature, par la précision de son esprit, par la force naturelle de son caractère. Jules admirait cet homme qui avait arraché à la forêt de vastes champs de pâturage et on disait d'ailleurs de lui qu'il avait abattu le premier arbre du défrichement de la colonie naissante. Aux yeux de Jules, cet Acadien était l'homme de la maturité : fixé, inchangeable. Le chef du village.

Cependant aujourd'hui, à travers cette assurance tranquille qui le caractérisait, brillait une joie qui le rendait presque vulnérable. Il lança :

— Ma fille Flora revient des États !

Un coup de tonnerre en plein mois de novembre n'aurait pas ébranlé Jules davantage. Flora Martin revenait de Boston… Mais pourquoi? Son frère Léonard ne lui en avait pas soufflé mot. Pourquoi? Le savait-il? Et quand revenait-elle? Afin de garder sa contenance, les yeux rivés sur le feu de la forge, il répliqua:

— Comme ça, Flora a fini de travailler chez le docteur de Boston

— Oui, parce que je lui ai écrit, répondit cette fois avec allégresse Joseph-Octave. On a besoin d'elle ici. Elle a appris à soigner les malades avec notre cousin écossais, le Dr James McLean. Il lui a même donné un dictionnaire médical qui pèsera lourd de connaissances dans ses bagages!

— Elle mettra sûrement ses connaissances en pratique, remarqua Jules avec sincérité.

Il connaissait bien les idées de Flora.

— De plus, elle a enseigné le français aux enfants de là-bas. Pourquoi ne pas venir l'enseigner aux enfants du village? Mme Georgina vieillit. Je lui ai demandé aussi de revenir à cause de Susannah qui se fait du mauvais sang. Flora arrivera dès la première semaine de décembre.

Jules reprit les tenailles qui rougissaient sur le feu.

— Ferre bien mes chevaux, Jules. Léonard t'apportera la carriole, le berlot, les traîneaux d'hiver et même ma traîne à chiens. Pendant que tu remettras tous les patins en état de glisser, la mère et moi on va préparer les robes de carriole, surtout la chaude peau de mouton doré, celle doublée en laine rouge. Tu comprends, rien n'est trop beau pour accueillir notre fille Flora.

Jules connaissait de près cette peau de mouton. Joseph-Octave, se fiant aux doigts magiques de la Petite Marquise, lui avait demandé de la doubler en rouge, couleur des dunes de sable de son île, l'Île-du-Prince-Édouard. Le noir, le vert et le bleu étant les seules teintes que l'on pouvait décocter à partir des plantes du village, Henriette avait mis en charpie des bouts d'étoffe anglaise qu'elle avait ensuite cardée, filée, tissée. Et c'est Joséphine qui en avait brodé «l'entour», comme elle le disait avec sa voix chantante.

Joseph-Octave s'en souvenait-il? Jules se surprit à scruter son regard. Y avait-il derrière les yeux de cet homme une mince réminiscence de cette broderie en points de croix d'un noir intense piquée par sa femme Joséphine Allard? Non. Pas un mot. Pas un souvenir. C'était déjà oublié? Même par lui, Joseph-Octave?

«Ce qui reste de nous… se dit-il alors, songeur. Oui, qu'est-ce qui reste donc de nous après la mort? Qu'est-ce que cette vie que l'on donne et que l'on "retrouvera"?»

L'odeur de la corne fraîchement éclissée le prit à la gorge. De vieilles images de Flora, la fière, la différente, celle qui avait préféré partir plutôt que d'épouser un homme du village, lui revenaient. D'un geste preste, il sentit le besoin de nettoyer son tablier de cuir et releva brusquement la mèche rebelle qui lui tombait sur le front. Il se souvint exactement des mots durs qu'elle lui avait servis, un soir dans une veillée. Elle avait levé le menton tout en le regardant fixement dans les yeux.

«Jules, lui avait-elle dit, je sais que vous êtes intelligent, habile et ingénieux. Mais il vous serait profitable d'apprendre à lire et à écrire couramment. Quand on sait à peine lire et écrire, on ne peut que "moudre gros".»

Moudre gros? Que connaissait-elle donc des meuneries, des moutures et des moulanges? Que voulait-elle dire? Et pourquoi ce «vous» hérité de l'aïeule écossaise, dont elle ne semblait pas vouloir se débarrasser et qu'elle accentuait même pour lui, Jules Dufour, pourtant souvent dans le compagnonnage de son frère Léonard. Il avait sept ans de plus qu'elle, il est vrai. De son côté, il accentuait les «tu», ce qui la laissait complètement indifférente. Ces trois mots, «apprendre à lire», lui avaient labouré le cœur. Rares étaient d'ailleurs au village ceux qui savaient «vraiment» lire et écrire. Cette pensée le réconfortait.

Élevé dans une famille modeste loin de toute école, Jules Dufour avait toujours compté sur son intelligence et ses talents naturels pour gagner sa vie. «Apprendre à lire» lui résonnait dans les tempes aussi sourdement que le bruit du marteau sur l'enclume. «De toute façon, finit-il par se dire, Flora Martin n'a jamais su ce qu'était le vrai travail, le travail de ses mains.» Tandis que lui…

Pendant les longues soirées d'hiver à venir, il ferait d'instinct les plans de la meunerie. Il savait que, en la construisant, il ne se tromperait pas. Le moulin s'accrocherait à la falaise et une solide digue de bois retiendrait l'eau en amont. L'écluse serait pourvue de portes munies de vannes par lesquelles on relâcherait l'eau selon les besoins. Et la grande roue tournerait et la meule produirait une mouture fine, de la farine blanche, de la «belle fleur» comme on disait au village. Et de cela, il était sûr. «Moudre gros»?

Il faudrait cependant écrire à la Société de colonisation pour obtenir un permis. Écrire? Encore une fois, d'autres doigts que les siens traceraient ces lettres et ces caractères qui, pour lui, tenaient encore du mystère et qui tournaient aujourd'hui à l'angoisse, presque à la honte.

C'est dans l'avant-midi du 7 décembre que Jules entendit soudainement sonner les grelots de la Rousse. De sa fenê-

tre de forge, il vit la carriole tourner dans l'allée parfaitement balisée de la ferme des Martin. Flora attendit que la
carriole se soit bien arrêtée et que les peaux en soient reti-
rées avant de tendre vers le sol une longue jambe bottée de
cuir fin tout en réajustant le plaid écossais qui glissait sur
ses épaules. Elle portait au-dessus de son lourd chignon
une jolie toque en lapin blanc.

L'œil de Jules devint malicieux.

– Tiens, tiens, murmura-t-il avec insolence. Voilà que
quelque lapin de garenne se serait écarté dans les rues de
Boston.

Il remarqua aussi que Flora se tenait encore la tête haute,
le dos très droit. « Un port de reine », finit-il par admettre.

La journée s'achevait. Au dehors, de larges ondes de
silence succédaient au vent qui s'élevait puis s'apaisait. Jules imbibait d'huile les harnais qu'on lui avait confiés et le
silence, lui semblait-il, s'imprégnait dans l'odeur du cuir. Il
savait jusqu'au fond de lui-même que ce silence forgeait
son âme. « Mes enfants et ma femme, tu me les as arrachés », avait-il crié au bon Dieu. Il avait hurlé, il s'était
roulé de douleur à même le plancher de la forge. Depuis
quelques mois, il sentait qu'il se relevait et que son corps,
comme sa tête, réclamait de l'air, l'air de la vie, l'air de
l'espoir. Il avait repris ses quatre enfants.

Jules rangea ses clous, son marteau, ses tenailles. C'est à
travers l'incandescence des derniers tisons qu'il revit une
autre image de Flora. C'était dans cette veillée où l'on avait
discuté des cruautés de la Déportation. Relevant la tête afin
d'être bien entendue par l'auditoire, Flora avait conclu l'histoire du Grand Dérangement en affirmant fièrement : « Nos
terres ont été conquises, mais nos âmes sont restées libres. »

Oui, cette femme était restée libre. «Depuis qu'elle est jeune, réfléchissait-il, Flora Martin a toujours tenté de défendre la légitimité de sa propre existence en tant que femme. Elle a toujours voulu s'exprimer comme elle, elle l'entend, en dépit des pratiques venues d'anciens temps, transmises, acceptées, jamais remises en cause par la société.» Et la volonté qu'elle manifestait à cet égard avait toujours suscité chez Jules le double sentiment de l'admiration et de la peur.

X

Flora avait retrouvé sa chambre. Envoûtée par les douces odeurs qui subsistent dans les chambres vides, elle se tenait debout, immobile, sur le seuil en larges planches de pin. Elle caressait des yeux la luminosité de la lucarne, son lit à fuseaux recouvert de la courtepointe à losanges colorés, sa chaise étroite foncée de lanières d'orme. Dans la magie de cet univers familier, elle se tourna lentement vers la commode aux six tiroirs intimement reliés à ses cachettes, à ses secrets : livres d'école, poèmes de Longfellow, le ceinturon doré dont elle enroulait sa taille pour charmer Gabriel, quelques fioles de plantes médicinales préparées avec Thomas. Elle y rangea le *Handbook of Popular Medicine* du Dr Napheys. Sa rêverie dura longtemps. Les pas furtifs de sa mère devant sa porte la ramenèrent à la dure réalité : dorénavant – et à vingt-sept ans –, après avoir connu la liberté du travail à Boston, elle revenait à Saint-Alexis-de-Matapédia entre père et mère. Elle se rendit soudainement compte qu'elle connaissait peu leur histoire d'amour. Joseph-Octave était comme naturellement son père. Susannah était singulièrement sa mère. Et, souvent, Flora s'était demandé si dans cet insondable abîme d'amour entre un homme et une femme ne se trouvaient pas des secrets enfouis : des irréconciliables réconciliés, de toute nécessité, par la vie elle-même.

Susannah, sa mère, était de constitution chétive. « Maigrichonne », disait-on d'elle au village. Le dos légèrement voûté mais la démarche vive, elle n'avançait, autant physiquement que psychologiquement, que d'une façon linéaire : de quoi se mettre sous la dent, de quoi se mettre sur le dos. D'avoir quitté l'Île-du-Prince-Édouard, sa terre natale, d'y avoir tout abandonné pour recommencer sa vie à même une nature rude et sauvage avait sans doute aigri son caractère. Avec sa mère écossaise, Maggie McLean, elle avait évoqué, à maintes reprises, des souvenirs du District Covent et de la Parish Church qu'elle avait fréquentés dans son village de Rustico. Son sens obsessif de l'économie domestique découlait sans doute d'anciennes peurs qui auraient mis en péril la survie de sa famille. Plus d'une fois, Flora, enfant, avait observé sa mère à travers la porte entrebâillée de sa chambre à coucher. Susannah ouvrait alors furtivement un sac de coton sans âge, en sortait quelques liasses de dollars qu'elle étalait un à un sur le lit. Elle les palpait, les retournait, les regardait comme s'ils allaient lui donner la réponse qu'elle attendait. Du même sac, elle sortait également des papiers froissés, aux chiffres alignés serré qu'elle rayait ou réajustait. Devenue absente à tout ce qui l'entourait, elle restait là à compter, recompter puis, tout aussi rapidement, remettait l'enveloppe jaunie sous le matelas, de son côté à elle.

L'épisode le plus troublant de cette obsession pour l'argent avait été celui entourant le projet de l'Intercolonial Railway. Cette question épineuse avait créé une pesanteur entre Joseph-Octave et Susannah. Flora avait vu sa mère se transformer en harpie bêtement rapace pour quelques cordes de bois.

C'était avant l'Acte de l'Amérique du Nord britannique. Afin de gagner l'adhésion des Provinces maritimes à la Confédération canadienne de 1867, les politiciens s'étaient engagés à construire un chemin de fer reliant celles-ci aux régions centrales du Québec et de l'Ontario. Le tracé du train de l'Intercolonial qui devait longer la rive du Saint-Laurent pour ensuite traverser la vallée de la Matapédia avait rebuté plusieurs ingénieurs du gouvernement. Les escarpements, les gorges et même les ravins qui encaissaient les bords de la rivière Matapédia faisaient peur. On retardait les travaux d'année en année. C'est alors que des colons du Bas-du-Fleuve et de la Vallée avaient promis de donner annuellement des milliers de cordes de bois pour chauffer les premières locomotives. Joseph-Octave Martin en avait été le porte-parole.

Susannah s'était opposée à ce projet. En colère, elle avait parcouru la paroisse pour tenter de convaincre les femmes – et à travers elles leurs maris – que cette idée de donner des cordes de bois allait contre leur dû.

«C'est aux agents de la Colonisation de s'organiser pour nous payer ce bois, répétait-elle avec l'acharnement de ses lèvres minces. Qu'ils payent, ce sont eux les riches», clamait-elle en avançant le menton vers les commères qui l'entouraient.

Quant à Joseph-Octave, il continuait sa plaidoirie :

«Il faut vaincre l'isolement du village. Nos terres sont vastes et fertiles. Grâce au chemin de fer, nous pourrons vendre le surplus de nos récoltes dans les régions et même faire transporter jusqu'à Québec du sapin et de l'épinette qui partiront vers les vieux pays. »

Le dégoût viscéral que Susannah éprouvait à donner la renfermait dans une sorte d'étroitesse d'esprit qui l'empêchait même de raisonner. Elle répliquait inlassablement que le chemin Kempt – ainsi nommé en l'honneur de Sir James Kempt, alors administrateur du Canada –, même s'il était mal nivelé, grossièrement découpé à travers des forêts sauvages propices aux accidents, rejoignait lui aussi les régions avoisinant le fleuve. Cette route de transport « au moins ne saignait pas les colons à blanc ». Le « c'est à eux de payer » était devenu un leitmotiv acharné qui avait distillé, pendant quelques mois, le poison dans toute la famille. Susannah ne se doutait pas alors que les forces obscures du destin aiguisaient déjà, dans ce chemin désert, les lames acérées qui allaient déchirer à tout jamais les fibres les plus intimes de son être. Finalement, elle s'était tue, un peu comme la corneille noire qui, ayant croassé sans arrêt pour protéger ses petits, revient calmement se poser sur la branche.

Flora se taisait elle aussi. Elle ne ferait pas remarquer à sa mère que, grâce au train de l'Intercolonial, elle était revenue auprès d'elle afin de l'aider à retrouver « l'élan » que, selon Joseph-Octave, elle avait perdu.

À son arrivée, Flora avait embrassé sa mère qui, comme à l'habitude, s'était tenue raide, les deux bras figés le long de son corps osseux, son tablier usé la protégeant contre toute marque d'affection. Maintenant, elle s'affairait, un sourire contraint aux lèvres, et brusquement elle lança au visage de Flora la rancœur qui l'étouffait.

Son caveau à légumes n'était qu'à moitié plein et cela la bouleversait.

Elle avait pourtant fait ses rogations, ces trois jours de processions et de prières pour demander la réussite des semailles. Elle s'était arrêtée devant la croix du chemin, avait récité des litanies, planté les croix de semences en bordure des champs, énonçait-elle avec désespoir, en proie à une terreur profonde.

Flora se souvenait de ces petites croix formées de brindilles de bois bénites qu'elle avait déjà façonnées, enfant. Susannah continuait :

– Le jour de la Saint-Marc, le 25 avril, j'étais clouée au lit par la fièvre. J'avais pourtant remis à ton père trois petits sacs en tissu dans lesquels j'avais enfermé des graines de différents légumes. Tu te souviens, Flora, que depuis toujours j'enterre ces graines bénites à la tête du premier sillon.

Elle parlait vite, en quémandant l'approbation de sa fille, et ses yeux vifs, dont les coins relevés avaient toujours surveillé de près l'ordre des choses, semblaient désorientés.

– Ton propre père, Joseph-Octave Martin, a oublié, tu m'entends, Flora, il a oublié d'apporter à l'église les petits sacs de semences pour le potager.

Elle était dévastée.

– Saint Marc nous a punis, c'est sûr. Tu comprends, Flora, c'est ce saint-là qui assure les bonnes récoltes et, même si j'avais déjà fixé son image sur le carreau à grains, il nous a rejetés, il nous a punis.

Susannah traînait sûrement cet effroi depuis le printemps dernier et probablement sans arrêt, pensa Flora. Emmurée dans des croyances religieuses primaires, elle continuait, butée :

– Ton père avait hersé, j'ai semé dans un terreau ameubli, mais mes légumes sont peu abondants et ils sont durs et fibreux comme des bettes à carde. J'ai été punie, punie par le bon Dieu, tandis qu'Albertine, elle, oui Albertine à qui je n'ai pas parlé depuis longtemps parce que je ne voulais plus la voir, Albertine, elle, son caveau déborde de légumes. Elle pourra même en vendre aux alentours, alors que moi je ne ferai pas un sou et j'aurai peine à nourrir ma famille.

Flora regarda cette femme, sa mère, chez qui tout avait toujours parlé de devoir, d'obligations, d'intendance sans compromis. Sans faiblesse. Sans se plaindre. Elle était là devant elle, les yeux secs, et du fond de sa conscience s'échappaient des mouvements désordonnés de jalousie, de peur et même d'effroi. Cette femme manquait d'air à tout point de vue.

– Allons faire un tour dans le village, proposa Flora. Allons-y pendant que le soleil est encore haut.

Susannah ne se fit pas prier. Elle attrapa sa bougrine grise en laine du pays, à laquelle elle ajouta un châle à carreaux plié en pointe, puis elle s'accrocha au bras de Flora.

– Je suis fière de me promener avec toi dans le village, lui dit-elle. Tu es une vraie Écossaise comme Maggie McLean, ta grand-mère.

En apercevant la nouvelle forge en face, Flora demanda, cette fois, à sa mère :

– Comment va maintenant Jules Dufour ?

– Il élève seul ses quatre enfants depuis bientôt un an. Pauvre homme, soupira-t-elle sur le ton de la confidence. C'était par une nuit de tempête et de poudrerie. Je ne dormais pas à cause du vent violent qui sifflait autour de la maison et des bâtiments. Je me suis levée, j'ai examiné chaque ouverture des portes et fenêtres et c'est par la lucarne de ta chambre que j'ai aperçu les lueurs vacillantes de fanaux près de la maison de Jules. Le prêtre venait donner l'extrême-onction à la mourante, et Alphée, chercher la petite Joséphine. Pauvre Jules, soupira-t-elle encore. Quand, au petit matin, on a entendu le glas sonner neuf coups, on a compris qu'il avait perdu sa femme. Tu te souviendras, Flora, lorsque notre tour arrivera : neuf coups pour moi, douze coups pour ton père.

– Et trois coups pour les enfants, ajouta Flora.

L'air était froid et sec. Les deux femmes furent bientôt devant la maison d'Albertine. Flora serra étroitement le bras de sa mère dont elle avait perçu le léger mouvement de recul, car l'ombre ronde d'Albertine s'était déplacée derrière le rideau de la fenêtre et déjà celle-ci ouvrait avec délectation la porte de la cuisine.

– Susannah, c'est enfin toi, et avec la belle Flora en plus. Entrez, entrez, venez vous réchauffer, il fait bon dans la cuisine, je sors bientôt une fournée de pain.

Albertine ressemblait elle-même à un pain chaud. Les joues rondes, la poitrine abondante, des hanches dont la courbure évoquait les nombreuses maternités, des yeux rieurs, tout chez cette femme démontrait qu'elle avait accepté une fois pour toutes la vie telle qu'elle se présentait. Malgré sa taille, Albertine se déplaçait vite et, en un tournemain, les vêtements des visiteuses furent accrochés, les chaises tirées, les pains odorants et croûtés sortis du fourneau. Elle déposa ses mains potelées sur sa jupe aux nombreux plis et commença à raconter les nouvelles du village, car elle les connaissait toutes.

Susannah écoutait avec une attention telle qu'elle avait rapetissé les yeux pour savourer les pans d'images émergeant des histoires des familles du village. Petit à petit, la volupté, pour l'une de parler et pour l'autre d'écouter, flotta joyeusement entre les murs. Des vagues de mots ondulaient autour du cœur de sa mère qui avait peu d'imagination, mais Flora savait que, après cette visite chez son amie, le ressac viendrait. Pendant des jours, Susannah répéterait les nouvelles en hochant la tête comme pour s'approuver, avec moins de saveur qu'Albertine mais avec cette parcimonie qui la caractérisait. Les deux femmes étaient donc réconciliées, Albertine ayant déclaré avec bonhomie à Susannah :

– Je sais que ton jardin a moins donné cette année. C'est comme moi à l'automne de la naissance de Firmin, tu te souviens ? Cet enfant-là ne voulait pas naître, on n'avait pas entrepris la boucherie, mais Joseph-Octave, ton mari, nous a donné cette année-là plus que le morceau du voisin ! Je m'en souviens, Susannah, je m'en souviens. J'avais tellement de douleurs que je criais aussi fort que le cochon que ton mari était en train d'égorger !

Puis, après avoir avalé plusieurs fois sa salive, car toutes ces histoires l'enthousiasmaient :

– Firmin n'attend que le bon moment pour t'apporter de bons sacs de légumes variés et surtout, Susannah, mangez-les à ma santé, ce qui vous en donnera aussi. Tu as maigri encore, Susannah, prends soin de toi, *take care*, comme te dirait Maggie McLean si elle était encore de ce monde !

Firmin était né simple d'esprit, c'est pourquoi tous les gens du village le protégeaient. On souriait, bien sûr, quand il dépliait ses fines pattes de chevreuil et qu'il se mettait à courir. Lent pour apprendre à l'école, il s'y rendait pourtant rapidement, déployant ses longues jambes minces afin d'arriver avant tous les autres. Il courait après les charrettes en été et après les traîneaux en hiver, mesurant de l'œil les garrots des chevaux afin de les dépasser. Un cœur d'athlète, un corps de chevreuil, une tête vide, un visage lisse sans tourment et des yeux perdus dans les rêves.

Flora s'était attachée à lui quand, avant de partir pour Boston, elle avait remplacé Mme Georgina à l'école. Elle s'était aussi attachée à Gracieuse «la Petite Bossue». Oui, c'était là le prénom audacieux que ses parents avaient donné à leur petite fille venue au monde avec une bosse sur le dos. On aurait dit d'ailleurs que la fillette avait été faite exprès pour se pencher sur les cahiers et les livres. Contrairement à Firmin, elle apprenait vite et ne demandait que ça, apprendre, étudier, annoter, et ses yeux empreints de la tristesse d'un enfant qui sait accueillaient avec gratitude les horizons que lui ouvraient l'école et la lecture. L'école du village. Flora sentit de nouveau son cœur chavirer car elle venait d'entrevoir, l'espace d'un instant, les visages rieurs des enfants, les pupitres alignés sur le plancher ciré, le tableau noir avec sa craie et, surtout, la joie profonde, enivrante de transmettre le mystère des mots qui recouvrent les idées. C'était peut-être cela son destin. Aimer, soigner, éduquer les enfants des autres, sans homme à aimer, sans enfants à elle. Car, revenue au village, elle appelait encore un nom auquel ne répondait que le silence.

Depuis son arrivée, Flora avait observé sa mère qui besognait de l'aube à la tombée du jour. Elle nettoyait coins et recoins, cuisinait bravement les repas, elle qui n'avait plus faim depuis longtemps. Elle ne s'asseyait que pour travailler encore, écharpant, cardant, filant au rouet et dévidant jusqu'à la brunante. Puis, avec parcimonie, elle versait l'huile dans les lampes et n'acceptait pas que quiconque la remplace dans cette tâche qu'elle mesurait à la mèche près. Elle travaillait, aurait-on dit, guidée par son devoir d'épouse et par l'amour approbateur de Joseph-Octave. Elle avait tant servi, elle avait eu si peur pour les autres que son maigre corps s'était tassé sur lui-même en même temps que des idées toutes faites qu'elle ne remettait plus en question. Cependant, quand Joseph-Octave se montrait heureux dans sa maison, on voyait monter à travers le corps anguleux de Susannah de brefs gestes de joie auxquels s'accrochaient de nouveau ses pas fatigués. Et elle recommençait comme si elle voulait servir jusqu'au bout le désir de vie dont l'humanité a besoin pour continuer la suite des choses.

La période des Fêtes approchait. Il fallait préparer le réveillon familial de Noël et les repas du Nouvel An que l'on offrait à toute la parenté. Joseph-Octave avait profité des tout premiers jours de décembre pour faire boucherie, prétendant qu'il faisait suffisamment froid et que le croissant de la lune retarderait le rancissement du lard jusqu'à l'autre saison.

– Les saloirs sont descendus à la cave, avait-il annoncé.

Et, se tournant vers Flora :

– Tu trouveras dans la cuisine d'été des lièvres et des perdrix, de la volaille, des flancs de porc et de veau. Quant à moi, je passerai la journée dehors, la neige est sèche, et avec Léonard je rechausserai le pied des murs de la maison et des bâtiments.

Susannah s'était crispée. Quoi ! Joseph-Octave s'adressait à sa fille plutôt qu'à elle, sa femme, qui avait toujours tout fait pour lui et sa famille.

– Je ne remettrai jamais, tu m'entends, je ne remettrai jamais mon tablier à ma fille, avait marmonné Susannah pendant que Joseph-Octave fermait la porte sur ce qu'il ne comprenait plus.

« Ta mère, avait-il gravement confié à sa fille, ta mère est fatiguée et moulue comme une gerbe de blé qu'on aurait battue au fléau. »

Flora s'enroula elle aussi la taille d'un tablier. Elle entra dans la cuisine d'été, qu'on appelait également le bas-côté car il fallait descendre deux marches pour y accéder. Elle affectionnait, en saison, ce petit bâtiment raccroché à la maison par un mur mitoyen. À cette période de l'année cependant, le froid lui coupa les jambes malgré que les ouvertures aient été calfeutrées pour l'hiver par l'étoupe de lin. Les tablettes étaient si pleines qu'elles s'arrondissaient comme un ventre. On avait raison de dire au village que le porc se mangeait de la tête à la queue. Il était là, au complet, éventré, éviscéré, dépecé, gelé, et sa grosse tête, à laquelle on avait arraché les dents et les yeux, trônait, effrayante, sur un des bardeaux de cèdre destinés à la toiture, ce bois à la senteur fine dont on disait qu'il durait « le règne d'un homme ».

Tant de choses lui revenaient à l'esprit. C'est elle maintenant qui descendait dans le carré à légumes dont la terre battue dégageait un parfum de douce humidité mêlé à l'odeur des pommes de terre encore sableuses, des betteraves, des carottes et des navets blancs à la collerette mauve. Elle était aussi montée au grenier pour y chercher les fines herbes, les bulbes d'ail dont les feuilles séchées liées les unes aux autres formaient des tresses. Susannah les avait suspendues aux poutres près du chapelet offert par Thomas.

Flora était constamment étonnée. Depuis toujours, elle vivait dans les livres ; elle avait étudié, enseigné à l'école, acquis des connaissances médicales grâce au D^r McLean. Étrangement, elle réalisait qu'elle avait toujours été loin, même jusqu'à l'inconscience, du travail concret des femmes qui devaient mener une maison, s'adapter au rythme des gens, des choses, des saisons. Elle constatait aussi que ce fluide magique, dont elle avait cru qu'il encerclait les activités quotidiennes, n'existait pas. Exténuée par les exigences de sa nouvelle besogne, elle se couchait tôt, après avoir regardé de sa lucarne les nuits bleues de décembre et le reflet vacillant qui, toute la nuit, éclairait la maison d'en face, celle de Jules Dufour.

«Sans doute à cause des enfants», pensait-elle, et elle en concluait que cet homme devait être bon.

XI

« Il faut de l'amour pour notre fille, Joseph-Octave. Je le sens : il lui faut de l'amour, m'entends-tu ? » Voilà comment Susannah avait un jour abruptement présenté les choses à son mari.

– Il lui faut un homme, oui, un homme pour Flora, mais les célibataires de son âge…

– Les célibataires ? Y a pas que les célibataires ! On n'est plus à l'époque des filles du Roy où les célibataires devaient prendre femme pour ne pas perdre leur permis de chasse, rouspétait-elle.

Elle continuait de ronchonner :

– Flora est trop difficile. Pourtant, il y a toujours eu de bons garçons dans le village. Qu'est-ce qu'il lui faut ? Un prince ? Parfois, j'ai l'impression qu'elle se prend pour la reine de Saba – tu sais, celle de la Bible – ou, tiens, mieux encore, pour la reine d'Écosse, Marie Stuart. Notre fille a la tête retournée par toutes ses lectures. Elle a encore dans son tiroir de commode son livre sur l'histoire des reines, tu t'en souviens, Joseph-Octave ? Eh bien, Flora a lu ce livre dix fois, vingt fois, cent fois peut-être.

Susannah s'exaltait, elle tenait enfin une histoire, qu'Albertine lui avait d'ailleurs remise en mémoire dernièrement.

– De plus, ajouta-t-elle rapidement, souviens-toi, Joseph-Octave, des pièces de théâtre à partir de la vie des reines que Flora écrivait pour ses cousines. Elle se réservait évidemment toujours le beau rôle. Elle devenait Marguerite de Valois, Diane de Poitiers ou Marguerite d'Angoulême…

– Ou Catherine de Médicis, risqua Joseph-Octave.

– Oui, rien que des reines! Notre fille, Joseph-Octave, a des idées de grandeur. De plus, elle ne vit pas dans ce qu'on appelle la vraie réalité.

En cet après-midi d'hiver, alors que la brunante commençait à tomber doucement sur le village, il faisait bon et chaud dans la maison des Martin. Susannah et Joseph-Octave s'étaient enfoncés dans le coussin de leur chaise berçante tout en ressassant de vieux souvenirs au sujet de leur fille, qui n'était revenue à Saint-Alexis que depuis quelques semaines.

Joseph-Octave souriait fréquemment. Il aimait sa fille comme elle était. Différente, oui. Rebelle parfois. Intense surtout.

Amusé, il rappelait avec quelle impatience passionnée elle avait fouillé dans les livres d'histoire à l'école et harcelé Mme Georgina de questions. Elle espérait pouvoir prouver à la famille qu'Abraham Martin, le fermier qui avait vendu ses champs de pâturage devenus par la suite les plaines d'Abraham à Québec, faisait partie de ses ancêtres!

– Tu t'en souviens, ma femme?

Susannah gigotait sur sa chaise. Tout cela l'avait agacée et l'agaçait encore terriblement. Le manque d'esprit domestique manifesté par leur seule fille l'avait toujours impatientée et l'irritait encore aujourd'hui.

— Les livres, toujours les livres, cracha-t-elle. Des livres avec Mme Georgina, des livres de musique avec Mlle Martine, des vieux récits d'histoire trouvés dans les greniers, même des annales relatant la vie des fondateurs du Canada.

Joseph-Octave souriait toujours. Il se rappelait les «séances» jouées l'été sous la véranda avec les enfants du voisinage. Il était fier de sa fille qui écrivait des histoires. Marguerite Bourgeoys enseignant aux petites Indiennes comme aux petites Canadiennes. Jeanne Mance soignant les soldats anglais de Wolfe autant que les soldats français de Montcalm. Madeleine de Verchères dénouant prestement son foulard pour échapper aux Iroquois…

— Notre fille lit maintenant des livres de médecine. Mais le savais-tu, Joseph-Octave? T'en rends-tu compte, mon mari? Notre fille ne connaît pas les choses du ménage. Elle ne sait ni filer au rouet, ni coudre, ni tisser. Et une maison, qu'est-ce qu'elle en ferait, hein? On ne trouve pas un mari entre les pages d'un livre!

Pendant que sa femme exprimait ses inquiétudes, Joseph-Octave revoyait tristement autre chose et il s'en ouvrit à Susannah.

— C'était sûrement au printemps, commença-t-il, parce que tu préparais du hareng frais. Tu coupais les têtes et tu les jetais aux ordures. Flora était revenue de l'école avec un nouveau livre et elle l'avait ouvert pour nous le montrer. «Encore la tête dans les livres, avais-tu grogné en riant faussement. Ma petite fille, souviens-toi toute ta vie qu'une tête, c'est fragile. Rappelle-toi que tous les poissons – selon le

vieux proverbe écossais – commencent toujours à pourrir…
tu sais par où ? Par la tête ! Oui, j'ai bien dit par la tête ! »

Flora avait refermé son livre, était montée dans sa
chambre et n'avait pas mangé de poisson pendant un an,
même pas pendant le carême.

– Elle a oublié cette histoire, fit Susannah.

– Fais attention, ma femme. C'était cruel d'entendre
des mots durs comme ceux-là.

– C'était pour la mettre en garde. Toi, c'est tout le
contraire. Tu as toujours accepté et tu acceptes encore ses
fantaisies.

Ils se chamaillaient tendrement en se relançant comme
un vieux couple qui s'aime, s'inquiète des enfants et n'attend que la tombée de la nuit pour se réconforter en se
recroquevillant dans les bras l'un de l'autre.

– Calme-toi, Susannah, reprit cependant Joseph-Octave. Rassure-toi. Notre fille vit à sa façon dans la réalité.
Regarde sur le crochet, Flora a emprunté ta bougrine.
Mme Georgina a envoyé Firmin la chercher parce que plusieurs enfants s'époumonent à tousser à l'école. Tous les
soirs, Flora lit dans son dictionnaire médical et prend des
notes sur des feuilles lignées. Elle lit pour apprendre à
soigner, que je te dis. Susannah, tu ne connais pas bien ta
fille.

Tous deux ne connaissaient sûrement pas et ne com-
prendraient peut-être jamais non plus par quels échecs et
par quelles souffrances, par quels combats singuliers leur
fille avait dû passer afin de garder intacte l'idée qu'elle
s'était faite elle-même d'un amour voulu, conscient, également partagé. Cette idée, elle la gardait clairement au fond
d'elle-même.

Il ne restait plus que quelques jours avant Noël et il fallait préparer les pâtisseries : les beignes gonflés de pâte parfumée à la muscade, les tartes à la ferlouche, les biscuits en forme de sapins et de cloches. Toutes ces douceurs au sucre et fourrées à la crème pour ce moment unique, un repas pris ensemble dans la nuit.

– J'irai acheter la cassonade au magasin général, annonça Flora.

C'était le mercredi 23 décembre 1896 et c'est ce jour-là que Jules Dufour, levant les yeux de son enclume, la vit passer à travers la fenêtre à demi givrée de la forge.

Elle marchait vite, encore chaussée de ses bottines de ville en cuir fin, coiffée de son chapeau en lapin blanc, la tête haute sans regarder ni à droite ni à gauche. Elle portait élégamment sur sa hanche un panier à provisions aux bords évasés confectionné grossièrement en harts rouges de merisier. La famille Martin ne connaissait sûrement pas les magnifiques paniers pourvus d'anses solides tressés en lamelles de frêne et de foin d'odeur que ses amis, les Micmacs de Maria, fabriquaient. Et il fut étonné d'avoir désiré, l'espace d'un instant, en offrir un à Flora.

«Cette femme a toujours été différente des autres femmes du village», pensait-il. Mais il ne comprenait pas pourquoi elle ne s'était pas engagée à un homme là-bas, à Boston, à un homme savant, un homme de livres qui savait lire et écrire, tandis qu'ici...

Cependant, la nuit de paix, celle du 24 décembre, était arrivée. Comme toujours aux abords de la messe de minuit, une neige légère tombait sur le village. Déjà, on entendait au loin le son joyeux des grelots attachés aux attelages des chevaux. Bientôt, les larges traîneaux aux patins bas, remplis par les familles nombreuses enfouies sous les peaux de carrioles, occuperaient toute la place devant l'église. Des souvenirs graves, des drôles aussi, des résonances du passé rythmaient les pas de Flora. Elle se sentait heureuse. «L'évidence immémoriale des racines sacrées et profanes. Le rassemblement de l'humanité chrétienne durant la sainte nuit», réfléchissait-elle.

La veille, elle avait rencontré au magasin général Mlle Martine qui connaissait le chant grégorien et touchait l'harmonium à l'église. Elle lui avait promis d'aller tourner les pages de ses cahiers de musique spécialement préparés pour la grande célébration de la fête de Noël.

Elle monta directement au jubé. Déjà la nef s'emplissait et les servants de messe s'émerveillaient de leurs soutanes rouges, tranchant sur leurs surplis blancs à manches larges dans lesquelles ils rentraient solennellement leurs mains. L'un d'eux tenait l'encensoir légèrement entrouvert qui laissait échapper la fumée odorante de l'encens. L'espace était inondé de lumière par l'éclat des lampes à huile accrochées sous la voûte.

— Tiens, murmura soudainement Mlle Martine, voilà monsieur Jules… Ah! Le pauvre homme, soupira-t-elle, comme l'avait dit aussi Susannah.

Jules Dufour marchait calmement à travers la foule déjà recueillie. Il tenait fermement par la main ses deux jeunes garçons, endimanchés dans leur canadienne bleu marine au ceinturon rouge. Vif comme dans tout ce qu'il faisait, il s'installa dans son banc entre ses deux fils, rabattant les capuchons, rangeant cache-nez et mitaines de laine sous l'accotoir. Puis il tourna la tête vers la droite du maître-autel. Il paraissait étonné, conquis, envoûté. «Mais par quoi?» se demandait Flora.

Elle se mit à chercher des yeux Corinne et Juliette, les deux filles de Jules qu'elle avait connues à l'école. Mais, déjà, Mlle Martine observait le clavier et posait son pied sur la pédale en lui désignant les signets qui marquaient le *Manuel des chants liturgiques*. Les premières notes annonçaient à grands coups de soufflerie le *Venez, divin Messie*. Dans quelques instants, le chœur de chant mené par Alphée entamerait les cantiques familiers et rassembleurs de la première messe de la fête de la Nativité. C'est au moment où l'assistance se leva pour l'Évangile – «les jours furent accomplis où Marie devait enfanter son fils premier-né», disait le prêtre – que Flora découvrit Corinne et Juliette. La blonde à droite de la crèche, la brune à gauche, toutes deux recueillies entre les sapins verts fraîchement coupés qui ornaient les côtés de la crèche traditionnelle.

C'était la coutume au village. Deux fillettes costumées en anges veillaient sur l'Enfant-Jésus pendant toute la messe de minuit. Henriette, la Petite Marquise, réajustait à chaque Noël les robes blanches en taffetas léger et soyeux et encerclait d'une torsade de couleur or le front et la taille des anges. À l'école, on recollait les ailes en papier crêpé, on arrondissait de nouveau les boucles, rendues si légères que les ailes vibraient quand les anges se déplaçaient dans la grande allée au moment de la quête.

De toute éternité, Mme Georgina savait ce qui se passait dans le cœur des enfants. En cette année 1896, elle avait choisi les deux filles de la maman morte afin qu'elles veillent sur l'enfant nouveau-né comme elles le faisaient aussi chez Alphée et Adélaïde qui avaient adopté leur petite sœur Joséphine. Et quand, après la deuxième messe, les deux anges radieux vinrent retrouver leur père, Flora comprit que cet homme, quoique douloureusement éprouvé, avait choisi la vie. Il ne lui apparaissait pas comme un «pauvre homme», ou comme un «pauvre Jules». Il lui apparaissait au contraire comme un homme solide et fort. D'ailleurs, en ce moment précis où la cloche de l'église résonnait joyeusement au de-hors, Jules Dufour n'éprouvait-il pas comme elle, Flora Martin, ce vif sentiment d'allégresse qui, soudain, remplace le poids lourd d'une certaine incertitude? Car tous deux, lui comme elle, l'un comme l'autre, ils revenaient d'un long et mystérieux voyage.

Jour après jour, Flora renouait avec les traditions. Comme dans tous les villages où l'on célébrait le rituel catholique de la naissance de Jésus, la fête de Noël indi-quait le commencement d'échanges entre l'église, les parois-siens et les familles. Déjà avaient eu lieu l'élection des marguilliers, la vente des bancs de l'église, la quête de l'Enfant-Jésus qu'il fallait nécessairement pratiquer quand le nouveau-né reposait encore dans la crèche, puisque c'est en son nom que l'on sollicitait. C'est ainsi que le curé avait ramassé deux berlots remplis des offrandes des paroissiens : viande, pommes de terre, savon du pays, laine, chandelles coulées dans le suif des moutons. Le tout devait être vendu à la criée du dimanche suivant, en partie pour la fabrique, en partie pour le curé. Puis arrivait la guignolée, cette très vieille coutume venue de France. Flora avait lu avec éton-nement qu'elle remontait à l'époque des druides quand les prêtres de la Gaule antique cueillaient les feuilles de gui sur les chênes des forêts sauvages, en poussant le cri «Au gui, l'an neuf!» Cette image, perdue dans la nuit des temps, l'avait toujours émue, d'autant plus qu'au village, à l'occasion des veillées entourant le Nouvel An, les femmes et les hommes qui s'aimaient s'embrassaient sous le gui. Elle se rendit compte qu'elle avait imperceptiblement fermé les yeux pour mieux revoir et même pour prolonger l'image de cet homme viril qui l'étonnait et qui s'appelait Jules Dufour.

La veille du Nouvel An, alors qu'elle s'apprêtait à ouvrir la porte pour la quête de la guignolée, elle aperçut dans les fenêtres de la maison d'en face quatre silhouettes d'enfants qui dansaient joyeusement. Ils s'arrêtaient brusquement pour coller leur nez aux vitres dans l'espoir de surveiller les guignoleux qui quêtaient pour les plus démunis. Elle se surprit à fredonner pour eux, et peut-être, sait-on jamais, avec eux : « La guignolée, la guignoloche, mettez du lard dans notre sacoche… » Les enfants, quels qu'ils soient, l'avaient toujours attendrie. Ces enfants-là, elle les aimait déjà comme elle avait spontanément aimé les enfants de l'école et ceux de Marie Bastarache. Elle n'oubliait pas non plus son petit Antonio D'Alesio, ce bébé italien aux cheveux bouclés et à la peau dorée qu'elle avait soigné dans la clinique du D^r McLean.

De son côté, Jules surveillait Flora. Il avait compris que, le mercredi vers onze heures du matin, elle se rendait au magasin général. Il valait mieux ne pas allumer le feu de forge ce matin-là, mais plutôt continuer, dans le plus grand des secrets, à faire briller six planches en frêne blanc qui, déjà taillées, courbées à l'avant, seraient rassemblées pour devenir une paire de toboggans qu'il offrirait comme étrennes à ses enfants pour le Nouvel An. Il anticipait leur plaisir de glisser sur la neige légère et poudreuse, là, dans la côte qui tombait derrière la forge.

Quand il vit Flora sortir de la maison, rapide comme un lièvre, Jules piqua à travers les champs qui s'étendaient derrière les maisons et, tout aussi prestement qu'il était sorti de chez lui, il entra par la petite porte arrière du magasin, en annonçant à M. Arsenault :

– J'ai besoin de broche fine, ne vous dérangez pas, je vais la choisir moi-même et je vous retrouve, dit-il, tout en lorgnant du côté de la porte d'entrée.

Un bruit sec, des pas décidés, une formule franche de politesse : c'était elle. Il revit ses yeux clairs, son front lisse et haut, son lourd chignon légèrement dispersé par le vent. Il retrouva sa voix nette et il s'entendit lui dire :

– Bonjour, Flora. Tu es revenue !

Et il ne put s'empêcher d'ajouter :

– C'est pour de bon ?

Elle se retourna lentement, avec un bref éclair dans les yeux. Esquivant la question, elle releva fièrement la tête.

– Comment allez-vous, Jules ? demanda-t-elle.

Quelques minutes plus tard, il s'offrit à la raccompagner, ce qu'elle accepta. Sans se le dire, sur la route du village rendue étroite par l'amoncellement des bancs de neige, tous deux s'étonnaient de goûter un bonheur simple : celui de s'être revus et de marcher l'un à côté de l'autre. Quelque chose flottait entre ciel et terre, à travers le froid vif et le soleil lumineux. Peut-on croire que toute la décision d'une vie puisse tenir dans la seule intensité d'une rencontre ?

Flora prit soudainement la parole.

— Susannah a écorché le godet en fer-blanc dans lequel elle met de l'eau pour se mouiller les doigts quand elle file les torsades de lin. Elle se demandait si...

— Flora, répondit vivement Jules en la regardant de ses yeux d'homme qui avait toujours refusé d'entrer dans le rang, Flora, viens porter toi-même ce godet à la forge. J'allume le feu.

Et il ajouta plus bas :

— Le feu, s'il est bien allumé, peut guérir de toutes les blessures.

Que voulait-il dire, guérir les blessures ? Les blessures de qui ? Ses blessures à lui ? Les siennes ? L'avait-il aperçue dans les champs d'été se cachant pour aller retrouver Gabriel ? L'avait-il vue pleurer sur le corps du Métis ? Pouvait-il, ne serait-ce qu'un instant, se douter qu'elle avait de tout son être désiré le D^r McLean ? Avait-il deviné que, même à Boston, elle n'avait pas trouvé l'homme qu'elle aurait pu aimer, qu'elle avait refusé Edward MacRae, ce chercheur érudit mais dogmatique et puritain ? Savait-il qu'elle était à la recherche d'un homme libre qui la laisserait libre aussi ?

— Je viendrai, dit-elle.

Peu de temps après, elle cognait à la porte de la forge.

Elle se sentait légèrement mal à l'aise. Pour le cacher sans doute, tout en lui tendant la gamelle de fer-blanc, elle lui demanda en riant :

— Connaissez-vous, Jules, la légende écossaise dite de Gretna Green ?

— J'aime les légendes, répliqua Jules, tandis que, dans son œil enjoué, elle voyait encore cet élan vers la vie qui la fascinait.

– Eh bien, commença-t-elle, cela se passait dans les Highlands d'Écosse. Gretna Green était lui aussi forgeron. La légende raconte qu'il suffisait à un homme et à une femme de se présenter devant lui pour qu'ils se sentent unis pour la vie. Avez-vous ce pouvoir, Jules ?

– Malheureusement non, Flora, dit-il avec vivacité tout en la regardant intensément de ses yeux aussi bleus qu'était le ciel ce jour-là.

Elle observait cet homme qui, dans sa forge, faisait rougeoyer tout ce qui l'entourait. Entre le sang de sa femme et le feu de sa forge, Jules Dufour avait traversé des journées pleines de noir et de gris. Mais il les avait traversées. Tout son être devait pourtant se souvenir des coups, des souffrances, des blessures subies, mais il était là, calme, stable, ouvert à la vie. Flora, qui avait toujours cru à l'avancée de tout être humain dans sa propre existence, en avait la preuve devant elle. Cet homme s'agrippait à la vie. Déroutée, se surprenant elle-même, elle eut l'étrange impression qu'un amour, peut-être… un amour aurait pu, tout près d'elle, dans son village, naître et s'épanouir… un amour qu'elle avait cherché ailleurs sans jamais le trouver… Un amour ?

Le feu jaillissait peu à peu.

Elle fut vite intriguée par sa dextérité manuelle. Il avait sans doute pris l'habitude de tout inventer au fur et à mesure parce que, dans ce petit village, il fallait s'instruire par soi-même des choses de son métier. Ses mains burinées par le feu de la forge posaient des gestes souples et précis. Elle regarda ses mains à elle. Des mains fines plutôt maladroites, qui avaient tourné des pages et des pages de volumes, mais qui ne réussissaient pas toujours à concrétiser des idées et des projets qu'elle laissait finalement filer dans l'oubli. Tout se bousculait dans sa tête. Le couple d'Adam et Ève avait-il été le premier à se découvrir? Est-ce que d'autres couples s'attendaient dans l'infini du cosmos? Quel était l'itinéraire mystérieux de ces routes où se rencontrent un homme et une femme qui vont s'aimer? Le regard captivé par le feu de la forge, elle se disait aussi qu'à travers les deuils, les bonheurs, les malheurs, les échecs, la vie de tous les jours, ils avaient peut-être cherché leur chemin, elle jusqu'à lui, lui jusqu'à elle... Complètement déroutée par l'étrangeté de ses idées, elle entendit Jules qui lui demandait:

— Et toi, Flora? Tu aimes le feu? L'air? La terre? Te sens-tu bien dans la nature ici, au village?

Elle répondit rapidement:

— J'ai besoin d'air à tout point de vue. J'ai toujours senti le besoin de respirer profondément. Quand j'étais à Boston, je manquais d'air. C'est pourquoi chaque jour j'allais marcher au Common.

— Au Common? interrogea Jules.

— Oui, le Common, c'est un grand espace vert au cœur de la ville. Je marchais dans les allées entourées d'arbres et je montais le plus haut possible pour respirer. Je me sens bien dans les hauteurs de l'air comme ici au village, avoua-t-elle en souriant. Et, à Boston, je me suis ennuyée des champs de Saint-Alexis, confia-t-elle en récupérant le godet réparé.

— Si Susannah ou Joseph-Octave ont besoin, dit-il, tu reviendras, Flora?... Ou si toi...

Elle eut pleinement conscience que, au-delà du souffle de la forge, il la conviait à de nouvelles rencontres.

— J'irai dans quelques veillées, répliqua-t-elle, tout en espérant sans le dire qu'il choisirait les mêmes soirées.

Tandis qu'elle parlait, Jules éprouvait un sentiment de bien-être comme il n'en avait pas ressenti depuis long-temps. «Elle restera au village», se surprit-il à répéter aux quatre coins de la forge.

Chez les Martin, chez les Dufour, comme dans toutes les familles du village, on s'était réunis pour la bénédiction paternelle du jour de l'An, on avait échangé des vœux de «santé et prospérité jusqu'à la fin de vos jours», fêté les Rois, parlé tout en faisant bombance et en buvant de longues rasades de rhum ou de whisky. C'étaient des soirs où, dans les maisons entourées de neige et de vent, on racontait aux plus jeunes des légendes, des histoires de chasse et de pêche, des faits populaires cent fois dits et redits, tels que l'affaire Mockler ou encore la tragique histoire de la jeune fille appelée Faustine.

L'affaire Mockler remontait à 1874 et, vingt ans plus tard, on en parlait encore en frissonnant avec une certaine volupté. Il s'agissait de l'histoire d'Elizabeth Sheehy, d'origine écossaise, devenue veuve après la mort, en janvier, de son mari Thomas Mockler, un immigré irlandais. Mère de huit enfants, incapable de gérer à la fois cette grosse famille, la ferme et de nombreux arpents de terre, elle avait eu besoin d'aide. Or, un jeune marin fraîchement débarqué dans un port de la côte acadienne de la baie des Chaleurs, mais parfaitement inconnu, cherchait du travail. Elizabeth Sheehy l'avait engagé et, au bout de quelques mois, en était devenue follement amoureuse. Il avait demandé sa main, elle avait accepté. Le 20 juillet, par une journée radieuse, Elizabeth et son amoureux avaient pris la route du portage qui longeait la rivière Ristigouche afin de venir se marier à Saint-Alexis. On avait attendu le convoi, qui tardait à arriver. Les heures avaient passé. On s'interrogeait, on rigolait un peu.

— Les seins lourds de la veuve doivent être bien invitants par cette route cahoteuse, disaient les uns.

— Il faut relever sa jupe quand on portage, ajoutaient les autres.

Mais où donc était passée la noce ?

Le 23 juillet, Elizabeth Sheehy-Mockler était retrouvée morte dans la profondeur des bois de Saint-Alexis, la gorge tranchée. Le marin était disparu. Qu'était-il arrivé ? Vol, viol, jalousie, vengeance ? La peur s'était installée au village, les enfants ne pouvaient plus courir dans les champs, les hommes se remplaçaient pour le guet nocturne car d'autres étrangers, d'autres inconnus rôdaient dans la Vallée. À la séance du 4 août 1874, le conseil paroissial écrivit aux autorités concernées, demandant au ministère de l'Immigration de forcer M. Korman, agent des immigrants, de cesser d'accepter des gens «ne connaissant ni le français ni l'anglais et ne paraissant pas distinguer entre le bien et le mal». Cette affaire sordide ne fut jamais élucidée. Le ruisseau aux eaux vives qui coule encore sur la route du portage a été surnommé depuis le ruisseau Mockler et il garde à tout jamais, à travers ses roches blanches scintillant au soleil, le secret macabre de ce pénible événement.

Quant à l'histoire tragique de la jeune fille Faustine, celle-ci relevait davantage de la légende, mais reposait néanmoins sur un fait marquant de l'été 1871. Une jeune institutrice appelée Julie enseignait gratuitement dans le village voisin à des enfants dont les familles avaient peine à survivre en cette période de famine. Elle s'était attachée à l'une de ses élèves, nommée Faustine. À la fin de l'année scolaire, Julie avait épousé Thomas, un jeune cultivateur prospère de Saint-Alexis, et à l'arrivée de leur premier enfant, Faustine, alors âgée de dix-sept ans, fut engagée comme bonne par la jeune famille.

Thomas était aussi charretier et postier. Tous les jours, il livrait le courrier entre Matapédia et Causapscal. Les pluies torrentielles du printemps avaient charrié sur la route de la Vallée des masses de boue et de roches venues des montagnes. Thomas avait-il invité Faustine à monter dans la charrette? Le ciel était lourd et menaçant. Thomas raconta que, soudainement, un énorme ours noir avait surgi d'un taillis pour grimper sur la route. Affolés, les chevaux s'étaient cabrés, ruant dans les brancards avant de partir à l'épouvante. Faustine avait été projetée dans les eaux tumultueuses de la rivière Matapédia. Les chevaux étaient rentrés seuls au village, traînant derrière eux les restes des attelages et de la charrette. On avait retrouvé Thomas, complètement effaré, quelques heures plus tard. Qu'était-il donc arrivé? Thomas avait-il fait des avances à Faustine qu'elle aurait repoussées? Treize versions différentes ont alimenté la *Complainte de Faustine*:

> «Si vous voulez bien savoir
> Quel jour elle s'est noyée
> Je le tiens dans ma mémoire
> C'est le vingtième jour de mai
>
> Au bout de cinq, six semaines
> Son corps ils ont retrouvé
> Elle était encore toute belle
> Pas encore défigurée...»

D'après l'acte de décès retrouvé dans les registres de Saint-Alexis, Faustine a été inhumée le 29 juin 1871. La légende s'était déjà emparée d'elle.

Quand, dans les veillées de cet hiver 1897, Flora entendait raconter de nouveau ces faits devenus légendaires, que l'on coloriait et dramatisait à outrance, elle était bien consciente que les gens du village se dotaient d'une histoire, de leçons de vie, d'un discours inconsciemment tissé à même les grands thèmes universels de la vie, de l'amour, de la mort. C'est dans ces moments que, jetant un regard vers Jules assis plus loin, elle retrouvait, émue, l'expression ardente et réfléchie de ses yeux bleus, la netteté de ses paroles qui disaient tout, sans équivoque. Cet homme était intègre, ouvert et franc. Elle avait remarqué qu'il aimait aussi la musique. Cela l'étonnait, elle qui « n'avait pas d'oreille ».

En effet, quand le violoneux arrivait, tenant sous le bras son violon harmonieusement galbé dans un coton duveteux cousu par la Petite Marquise, Jules s'en approchait gravement et l'observait. Le violoneux s'appelait Philippe, comme tous les aînés de cette famille des Gallant. Son arrière-grand-père Philippe avait tourné lui-même son premier violon, disait-il. Il en avait fabriqué les cordes avec de la tripe de chat qu'il avait grattée, étirée, séchée et tordue. Son archet était en bois et en crin de queue de cheval. On n'était pas loin, à Saint-Alexis, de prendre les violoneux pour des magiciens. Dès que Philippe entrait dans une veillée, le maître de maison lui offrait une chaise dans un espace où il pourrait d'abord passer la résine sur l'archet, tourner les clefs pour tendre les cordes tout en écoutant, la tête penchée sur son violon, les vibrations de la chanterelle jusqu'à la grosse corde. Bientôt, il commencerait à taper du pied pour entraîner la compagnie dans le quadrille d'un vieux cotillon français endiablé, dans la cadence rythmée d'une gigue irlandaise ou d'un *reel* écossais. On danse tout son soûl en janvier, car l'Église défend de danser en carême.

L'hiver était rude. Flora admirait tous ces compagnons de veillées qui repartaient gaillardement, les pieds dans la neige et la tête dans les rafales, pour rentrer chez eux. Les eaux glacées de l'Atlantique amenaient les grands vents du nord et, souvent, le nordet transformait les tempêtes en poudrerie. Les bancs de neige étaient si hauts au-dessus de la route balisée que les façades des maisons avaient disparu. Le chemin du village ressemblait à un haut et étroit tunnel blanc.

Flora s'habillait maintenant de son ancien manteau en laine foulée dont le capuchon débordait de l'éclatante fourrure de renard roux. Jules la voyait passer, tenant une trousse noire, arrondie sans doute par des secrets médicaux et sûrement offerte, avant son départ de Boston, par le D^r McLean. Elle allait aux malades.

Chaque fois que le lui permettait le feu de la forge, Jules traversait vitement les champs arrière et surgissait entre les bancs de neige. Le temps d'échanger avec elle quelques moments de vie. Flora discourant sur les moyens de soigner, Jules expliquant que, pendant l'hiver, il exerçait davantage son métier de charron. Il parlait de roues à cercler, de charrettes à réparer pour la belle saison, des gens qui venaient à la forge, de ses enfants. Elle parlait de maladies dues au froid des maisons mal isolées ou à la pauvreté.

– Dans certaines maisons, la nuit, l'eau gèle dans les pichets, lui avait-elle dit, et les murs et les planchers sont froids comme de la glace.

Elle s'apitoyait sur le sort des femmes enceintes.

– Elles se tourmentent au sujet des privations demandées pendant le temps du carême. Se distancier de ces obligations, obéir à leur propre conscience leur semble impossible même si elles se lèvent la nuit pour les enfants et travaillent du matin jusqu'au soir. Qu'en pensez-vous, Jules ? Comment venir à bout de toute cette ignorance entretenue par les coutumes et la religion ?

Les mots étaient lancés. Flora regardait cet homme chez qui elle devinait, au fil des jours, un espace intérieur personnel loin des normes figées par le contexte social ou religieux. Elle s'étonnait constamment de son autonomie, de sa liberté de pensée, lui qui pourtant ne s'était pas instruit dans les livres.

Jules se taisait. Le mot « ignorance » que venait de prononcer Flora l'avait atteint jusqu'au cœur. L'ignorance, c'était aussi de ne pouvoir partager les réflexions écrites par des personnes sensées dans des livres et des journaux. Comment lui demander son aide à elle, Flora, sans crever de gêne et d'angoisse devant ces lettres minuscules qui l'étourdissaient ? Demain, peut-être, il aborderait le sujet avec elle. Ou après-demain ? Ou peut-être lui répéterait-elle bientôt qu'il devait apprendre à lire et à écrire ? Heureusement, il aurait le temps d'y réfléchir, car le ciel était lourd de neige, le nordet s'annonçait derrière les champs de la forge et il ne verrait sûrement pas Flora avant quelques jours. Mais il y avait le saumon...

Flora lui avait expliqué qu'elle se sentait parfois comme un saumon qui a quitté sa rivière pour migrer vers la mer. Comme le saumon laisse la rivière, elle était partie du village pour aller vers la ville. Revenue à Saint-Alexis, elle remontait elle aussi le cours de la rivière et – avait-elle insisté – elle le remontait exactement comme le saumon : «à contre-courant». Qu'avait-elle au juste voulu lui dire?

La tempête s'était calmée. La nature s'était apaisée, comme une femme et un homme après l'amour. Comment parler de tout cela à Flora? Apprenait-elle la vie uniquement dans les livres? Et l'amour? Il devinait pourtant que cette femme avait dans le cœur d'immenses morceaux de tendresse qu'elle analysait et scrutait au lieu de les laisser aller. Comment se rendre jusqu'à elle?

Le soleil de février jetait sur la neige des pans joyeux de lumière. Jules la vit passer, mais en sens inverse du trajet des derniers jours. Elle se dirigeait sans doute vers l'école pour aider Mme Georgina. Ou pour soigner des enfants malades. Il valait mieux attendre, songea-t-il, étonné quand même de cet élan qui le poussait vers elle. Lui, l'analphabète, vers elle, Flora, qui savait enseigner et soigner.

Un jour, elle lui avait dit que, grâce à la lecture, elle pouvait voir dans sa tête des images de pays lointains comme la France, l'Angleterre, l'Écosse et même l'Italie. Elle aimait d'abord connaître les faits historiques de ces pays. Elle croyait que les épopées qui s'en dégageaient élevaient le cœur des hommes puisque, pendant des siècles, ces faits historiques avaient été brassés, agrandis, transformés en légendes par l'imagination des gens ordinaires.

– C'est une sorte de poésie intime et millénaire nourrie par la pensée humaine, avait-elle conclu en le regardant de ses yeux gris-vert qui devenaient si graves quand elle réfléchissait tout haut devant lui.

Poésie millénaire? «Celle que l'on peut ressentir nousmêmes», avait-il risqué, en évoquant pour elle ses émotions liées à la démarche toute simple de la vie, à la clarté de l'eau, au sous-bois l'été en forêt et à l'amour de ses enfants. Oui, il avait compris que c'était cela la poésie à la fois millénaire et quotidienne dont elle parlait et à laquelle les légendes se rattachaient.

Quelques jours plus tard, il s'approcha de Flora au détour d'un banc de neige. La virilité de cet homme franc et ouvert la remplissait d'aise. Il la regardait de ses yeux intelligents et rieurs.

— Ce n'est pas une légende écrite dans les livres que je vais te raconter, confia-t-il rapidement. Elle me vient de mes amis micmacs que je vois de temps en temps dans leur village, à Maria. Les Micmacs transmettent oralement cette légende depuis des siècles et des siècles, dit-il fièrement.

Elle eut l'impression qu'il bombait le torse.

— Il y a très longtemps, commença-t-il, nos deux rivières, la Ristigouche et la Matapédia, débouchaient chacune sur la mer. La Ristigouche aux eaux tumultueuses regardait avec hardiesse la Matapédia, aux eaux vives et cristallines, et voulait la prendre pour fiancée. C'est alors que Klooscap, le dieu des bonnes choses, qui se tenait debout sur la plus haute montagne des Chic-Chocs, fit tomber un immense rocher dans la Ristigouche pour y former une île. Dès ce moment, la petite rivière Matapédia se jeta dans les bras de la grande rivière Ristigouche et elles s'unirent à tout jamais pour rejoindre la mer à travers les anses et les barachois de la baie des Chaleurs.

Jules regardait intensément Flora.

— Je ne connaissais pas cette légende micmaque de nos deux rivières qui se sont rencontrées, dit Flora.

— Et qui se sont unies pour mieux affronter la mer, ajouta Jules.

Elle était amusée par sa bonne volonté et en même temps plus émue qu'elle ne le laissait paraître.

— Malheureusement, reprit Jules d'un ton enjoué, certains de mes grands amis micmacs refusent de se faire instruire car, prétendent-ils, cela les ferait mourir jeunes. Alors, moi…

Flora riait de bon cœur.

— Alors, je vous soignerai, dit-elle en s'interrompant soudainement.

Que venaient-ils donc d'exprimer spontanément, l'un en face de l'autre, à côté de cette neige dont ils ne sentaient pas le froid, entourés, leur semblait-il, par l'aura étrange de l'intemporalité. Pour quelques instants, ils furent magnifiquement seuls sur la route du village de Saint-Alexis-de-Matapédia.

Flora réagit la première. Elle tendit à Jules le sac en loup-marin contenant les lettres de l'alphabet que lui avait légué M. Grégoire, le professeur ambulant de son enfance.

— Une fois les enfants couchés, lui dit-elle rapidement, étalez les lettres de l'alphabet l'une à côté de l'autre. Je vous ai fait un modèle. Vous avez la main habile, recopiez-les, je vous ai apporté un crayon.

— Un crayon mieux taillé que mon crayon de charpentier, dit-il, riant à son tour.

Il n'avait pas tendance à agir avec cérémonie, il ne prenait pas de détour et quelle fraîcheur c'était pour Flora qui, elle, avait l'habitude de tout décortiquer. Que de fois sa mère Susannah lui avait servi :

— Tu raisonnes comme un homme. Si tu veux trouver un mari, répétait-elle en hochant la tête, contente-toi de parler comme une femme !

Flora allait quitter Jules pour entrer dans la maison au fond du rang quand il se pencha vers elle en l'effleurant de son épaule. Malgré l'épaisseur des manteaux d'hiver, elle sentit cette caresse, et tout son corps tressaillit d'un désir étrange, nouveau. C'est alors que Jules encercla doucement son poignet, là où la peau dégagée était offerte, et elle se sentit s'en aller comme la neige encore haute de la fin de mars qui fondait là où précisément le soleil la pénétrait.

Jules la regardait de ses yeux bleus à la fois pleins de fougue et de patience. « Cet homme, pensa Flora, s'est fait lui-même par l'énergie de sa pensée. » Ne lui avait-il pas avoué qu'il aimait tout ce qui travaille pour la vie ? Il était de ceux qui pensent avant, non de ceux qui pensent après. Et c'est ainsi qu'il bâtissait sa liberté.

Oui, Jules Dufour était un homme libre.

— Flora, j'ai à te parler, dit-il enfin. Dis-moi quand et où, je serai là.

— Je reviens dans cette famille demain à la même heure, répondit-elle en marchant rapidement vers la maison. Mais parler… parler de quoi ?

Ce jour-là, de sa lucarne, Flora vit à peine la couleur du ciel au-dessus du village. Elle surveillait la maison d'en face. Elle observa les allées et venues de Jules entre la forge et la maison. Elle vit les enfants rentrer de l'école, la lampe qui avait été allumée puis qu'on avait éteinte. Il voulait sans doute, le lendemain, discuter avec elle de ses quatre enfants. Lui dire que si… Oui, il voulait expliquer les choses clairement. Que des enfants étaient là déjà, il fallait qu'elle le comprenne bien… qu'elle l'accepte ou pas… mais que quatre enfants seraient présents dans sa corbeille de noces.

Ces enfants, elle les connaissait déjà. De plus, ils étaient les enfants d'un homme qu'elle aimait. Elle ne les fuirait certainement pas, ces quatre enfants livrés si jeunes aux cruautés du destin. Elle ne fuirait pas ces enfants sans mère, démunis et vulnérables. Elle fit le choix très clair de remplacer la mère morte. Elle les éduquerait. Sa décision était prise.

Le lendemain, Jules l'aborda très tôt sur la route.

– Flora, lui dit-il gravement, tu sais que la mort est passée dans ma vie et dans celle de mes quatre enfants.

– Oui, répondit-elle en le regardant droit dans les yeux, et son regard ne se détachait pas du sien. Oui, je sais. Mais moi, je me sens revivre.

Ils se turent et continuèrent de marcher en silence. Parler leur aurait semblé faux. Tous deux avaient compris qu'en ce moment il était important de permettre à certaines choses de rester éloignées et de faire confiance à l'autre pour les choses qui ne devaient pas encore être dites.

Jules remarqua à ce moment précis la ligne légèrement avancée de la lèvre supérieure de Flora, qui trahissait son grand désir d'aimer. Elle avait troqué sa trousse contre un manchon en lapin blanc dont elle retira ses deux mains pour les lui donner. Et, pendant qu'elle souriait en pensant que c'était dans l'œil même de Jules que brûlait le feu, il prit les mains fines de Flora dans ses paumes rugueuses et chaudes. Soudainement, elle comprit que Jules Dufour était de la race des hommes qui peuplaient depuis longtemps ses pensées et ses rêves et que sa rencontre avec lui était inscrite depuis toujours dans le livre de son destin.

Elle releva fièrement la tête, lui lança un dernier regard et prit l'allée qui menait à la dixième maison du rang. Elle lui avait laissé entendre qu'elle accompagnerait sa mère Susannah aux offices de la Semaine sainte mais qu'elle espérait qu'ils se revoient le jour de Pâques. Oui, se revoir. Car, après toutes les douleurs passées, cette femme et cet homme s'étaient regardés jusqu'au fond de l'âme pour ensuite se donner simplement la main. Avec toute la tendresse du monde.

Certains rituels de la Semaine sainte s'étaient inscrits quasi naturellement dans le cœur de Flora. C'étaient ceux dans lesquels elle trouvait une valeur symbolique, par exemple le lavement des pieds de ses disciples par Jésus le Jeudi saint. Elle ressentait alors plus vivement le besoin qu'elle avait de secourir les malades. La bénédiction du feu nouveau lors de l'office du Samedi saint et le cierge pascal qui s'élevait dans la lumière évoquaient jusqu'au fond d'elle-même les signes mystiques de ce qui dépassait la vie. Dans l'après-midi du Vendredi saint, elle avait spontanément adopté la tradition ancienne : par respect pour la mort du Christ et par conviction personnelle, elle se taisait de midi à trois heures et soumettait son corps au jeûne et à la pénitence. Elle ressentait alors, débarrassée de certaines contraintes physiques et matérielles, le calme profond et dégagé de son esprit en repos.

Cependant, en ce matin du Vendredi saint, Susannah lui avait confié :

— La lourdeur de toutes ces morts me serre la poitrine jusqu'à m'étouffer. Tu sais, Flora, tous ces enfants que j'ai perdus en bas âge... et ton frère Jérôme, mort à dix-huit ans... Où sont-ils ? Sont-ils heureux ?

Flora, en tant qu'aînée de la famille Martin, avait vu passer sous ses yeux quelques petits cercueils recouverts de coton blanc et portés à l'église par Joseph-Octave lui-même afin qu'on y célèbre la Messe votive des Anges. Susannah semblait avoir relégué tout au fond de son cœur ses petits enfants morts en bas âge, mais la mort de Jérôme, le dernier fils de la famille, avait rempli tout son être de souffrance et, depuis cette tragédie, dépassée par sa peine, elle se mouvait dans une sorte de désorientation douloureuse.

Flora se souvenait précisément des séquences de la vie tragique de son frère Jérôme. Plusieurs fois, il lui avait confié son désarroi. Il ne voulait pas cultiver le sol. Il n'aimait pas la terre. Il voulait partir, malgré Joseph-Octave qui ambitionnait de défricher encore, avec lui et Léonard, des hectares et des hectares de terre. Il voulait les mettre à la charrue et ensuite aligner droitement, entre les clôtures de perches, des champs de culture et de subsistance pour sa famille et ses bêtes.

— Mes garçons hériteront d'un bien solide, aimait-il à dire quand il se rendait au Conseil des cinq cantons pour représenter le canton de Matapédia.

Jérôme restait à l'écart de ces promesses d'avenir. Il avait décidé de quitter la maison pour aller travailler sur le chemin Kempt.

Susannah s'était opposée de toutes ses forces à ce projet. Le chemin Kempt, dont le tracé reliait la vallée de la Matapédia au village de Métis en Gaspésie, ne comptait alors que quelques habitations disparates. C'était encore un chemin de roulage qui ne servait qu'au transport de marchandises. Le gouvernement payait annuellement à quatre personnes réparties sur ce vaste territoire cent dollars pour résider sur ce chemin, y travailler et assister les voyageurs qui se faisaient surprendre par les pluies du printemps, les rafales et les tempêtes de neige. Chaque saison apportait ses dangers sur cette route déserte.

— Tu seras trop souvent seul là-bas, disait-elle à Jérôme, en le suppliant.

Des événements tragiques y étaient survenus.

— Tu sais, cet homme, ce Johnny, disait-elle, retrouvé avec un couteau planté dans la poitrine.

— C'était parce que deux hommes aimaient la même femme, répondait-il. Quant à moi, je n'ai pas encore de femme dans ma vie.

— Justement, un jour tu en rencontreras une et tu voudras te marier. Un garçon qui veut fonder un foyer durable doit bien se mettre dans la tête que c'est à un lot de terre qu'il doit donner son travail, arguait-elle.

Jérôme restait insensible.

Elle avait même supplié Alphée Dufour de convaincre son fils de rentrer dans le Cercle agricole des jeunes. Inutile. Il était parti travailler sur le chemin Kempt.

Fort et solide comme son père Joseph-Octave, il aimait le travail physique, dur. Muni de son pic et de sa pelle, il nettoyait les ravins des neiges fondantes du printemps, puis examinait les eaux dans les fossés qu'il fallait laisser sécher, sciait des branches d'arbres morts, surveillait les éboulis, conseillait les voyageurs. Il avait dit à ses parents :

– Là-bas, je me sens utile. Quand les ornières du chemin Kempt sont remplies de bon gravier et que les voyageurs y circulent sans danger, je sais qu'on a besoin de moi et je deviens fier du travail que je fais.

Cependant, un jour, il avait risqué fort. Les Micmacs de la réserve de Ristigouche devaient apporter au lac Matapédia des provisions pour les travailleurs et pour les voyageurs pris dans les embuscades de la route. On attendait ; ils ne venaient pas. Au bout de dix jours, les provisions se faisant de plus en plus rares, quatre hommes décidèrent de construire un radeau et de descendre la rivière Matapédia jusque chez les Micmacs. Ils se laissèrent d'abord glisser sur les eaux de la rivière mais, au lieu dit des rapides du Diable, les eaux fortes et tourbillonnantes siphonnées par des courants contraires firent chavirer le radeau et ses quatre occupants. Jérôme périt, noyé, charrié pendant deux jours à travers les méandres de la Matapédia. Quand on avait retrouvé son corps bourré d'eau, le visage marbré de taches de sang et d'éraflures, Susannah s'était jetée sur lui, avait pris dans ses bras son grand enfant de dix-huit ans et l'avait bercé. « Mon petit dernier », disait-elle en geignant doucement. Elle ne s'en était pas remise. Joseph-Octave avait raison. « Besoin de toi », avait-il écrit dans la courte lettre lui demandant de revenir à la maison, au village, pour sa mère Susannah.

La famille Martin n'avait pas été épargnée par les maladies qui faisaient mourir, à cette époque, plus d'enfants que d'adultes. Le couple avait perdu des garçons en bas âge et une fille, dès sa naissance. Chaque fois, les yeux secs mais la poitrine gonflée par des sanglots retenus, Susannah avait donné la sépulture rituelle à ses enfants morts.

Tapie dans un coin, subjuguée par cette cérémonie étrange, Flora avait observé sa mère, aidée par Albertine – Joseph-Octave sortait de la maison en ces moments-là –, laver tendrement, non pas avec le rude savon du pays mais avec le doux savon de Castille, les corps inertes de ses enfants. Elle avait langé les plus petits dans des draps blancs remplis des aromates du baume et de la myrrhe dont l'odeur douce et âcre se répandait dans toute la pièce. Elle avait habillé les plus vieux de leur habit de première communion et enroulé autour de leurs mains jointes leur chapelet d'écolier. Deux cierges allumés jetaient déjà sur leur visage une faible lueur de mystère.

La liturgie des défunts prenait alors une signification particulière. La famille assistait à la Messe votive des Anges. Le prêtre, revêtu d'ornements blancs, avait psalmodié le *Laudate, pueri, Dominum… Enfants, louez le Seigneur…* Et dans les prières de l'Offertoire étaient rappelés quelques mots consolateurs tirés de l'Apocalypse : « Un ange vint, qui se tint près de l'autel, un encensoir d'or à la main. »

C'est de tout cela dont Flora s'était souvenue en regardant sa mère en ce Vendredi saint quand soudainement celle-ci s'était dressée devant elle en grommelant, à la suite d'un rapide signe de croix :

– Je le sais que tes petits frères baptisés sont devenus des anges au ciel… je le sais…

Et, à brûle-pourpoint, elle laissa échapper une plainte sourde qui venait d'aussi loin que des entrailles broyées d'une mère brisée par la mort de ses enfants. Elle cria :

– Ta petite sœur, elle, qui est morte, elle, sans avoir été baptisée… Où est-elle ? Dis-le-moi, Flora ! Flora, dis-le-moi : qu'est-ce que c'est que les limbes ?

Les yeux de Susannah étaient exorbités par une terreur dont elle-même ne comprenait sans doute pas le sens. Et c'est en haletant qu'elle avait lancé à sa fille cette question qui devait la gruger, par l'intérieur, depuis des années. Pugnace, elle répétait :

– Ta petite sœur ne sera jamais avec les autres. Elle est perdue quelque part dans les limbes. C'est quoi les limbes, Flora ? C'est où les limbes ?

« Certaines choses sont si graves, pensa Flora, qu'elles défient l'entendement. Comment, en effet, retrouver l'essence du divin dans cet espace tragique appelé les limbes par les traditions chrétiennes ? »

– Quand j'ai « marché au catéchisme », finit-elle par répondre, on nous apprenait que, les limbes, c'était un endroit vague, indéterminé… mais également un séjour de félicité pour les enfants morts sans baptême. C'était aussi considéré comme le lieu où se trouvaient les âmes des Justes avant la venue du Christ.

– J'ai appris la même chose à la Parish Church de Rustico, répliqua Susannah en colère. Toi non plus, tu ne comprends pas. Personne ne comprend. Je suis toute seule dans cette affreuse douleur d'une mère dont le tombeau de la petite fille n'est même pas marqué d'une croix blanche au cimetière. Et toi, ajouta-t-elle en haussant le ton, tu ne m'apprends rien de rien, même pourvue de toute la science que tu as puisée dans les livres.

Dans les livres, justement. Flora revit la Boston Public Library dotée de multiples fenêtres cintrées à l'étage où elle se rendait pour lire le samedi matin. C'était le moment où la lumière naturelle du soleil rendait encore plus chatoyantes les reliures des milliers de livres qui s'y trouvaient et...

— Ma mère, dit-elle, à ce sujet, j'aimerais vous raconter une histoire très ancienne. Celle d'une femme qui, elle aussi, voulait offrir la sépulture à un être cher. Et cette femme, en écoutant simplement sa conscience et à l'encontre des lois établies, a donné à son frère la sépulture qui lui était défendue.

Susannah avait toujours aimé les histoires. Elle écouterait attentivement celle que lui proposait sa fille, elle la roulerait bien dans sa tête et pourrait ensuite la reprendre pour Albertine. Flora pouvait commencer.

— C'est une histoire qui s'est passée quatre siècles avant que le Christ ne vienne sur la terre. Elle a été écrite par un poète grec appelé Sophocle. Elle se situe à Thèbes, une ville de la Grèce antique, et elle commence devant le palais des Labdacides.

— Un palais... fit Susannah, déjà vivement intéressée.

— Un palais dont les rois obéissant aveuglément aux lois établies privaient certaines personnes de leur sépulture.

— Ma petite fille, morte sans avoir pu être baptisée, n'a pas reçu la sépulture donnée par la Messe votive des Anges. On l'a mise en terre dans un coin perdu du cimetière, répétait-elle avec effroi, sans même... sans même que la moindre petite croix blanche ne signale son lieu.

Les mains de Susannah s'étaient appesanties sur son tablier cependant que ses yeux vifs et secs semblaient prendre à témoin tous les angles de la maison familiale. Et soudainement :

– Comment s'appelait et qui était cette femme dont tu m'as parlé tantôt?

– Elle s'appelait Antigone. Le poète dit qu'elle était jeune mais qu'elle avait toujours voulu accorder sa conduite à la voix profonde qui dépasse toutes les autres: la voix de la conscience.

– Alors, elle te ressemblait, opina Susannah.

Flora ne releva pas la comparaison. Sa mère était prête à l'écouter.

– Antigone, fille d'Œdipe et de Jocaste, était devenue orpheline. Elle avait deux frères nommés Étéocle et Polynice qui devaient successivement occuper le trône de Thèbes. Or Étéocle, l'aîné, refusa de céder à Polynice le trône de Thèbes à l'époque convenue. Celui-ci s'allia alors à des chefs d'État étrangers pour s'emparer de la couronne. Au cours de cette guerre, les deux frères d'Antigone s'entretuèrent.

– Deux frères... qui s'entretuent? interrogea la mère, incrédule. Des frères?

– Oui, confirma Flora. Le roi de Thèbes convoqua alors sur-le-champ les citoyens et proclama un double édit. Étéocle, qui avait bien servi son pays, serait enseveli avec tous les honneurs qui accompagnent sous terre les morts glorieuses. Il ajouta aussi que Polynice, venu combattre pour reconquérir le trône à l'intérieur même de la ville et avec des étrangers, serait privé de sépulture. C'était un ordre formel: défense d'enterrer et même de pleurer Polynice, devenu un sujet d'opprobre. Il fallait l'abandonner, nu, sur la place publique, sans larmes, sans tombe, à la merci des chiens et des oiseaux carnassiers. Tout contrevenant à cette loi serait condamné à être lapidé ou encore enterré vivant.

FLORA MARTIN

«Antigone refusa cette loi cruelle. Ne pas donner la sépulture à Polynice, c'était pour les Grecs de l'époque vouer l'âme de son frère à errer seule pendant l'éternité. Son âme ne serait jamais fixée. Elle prit la décision de donner à son frère la sépulture qui lui était défendue.

«Elle profita de la tombée du soir. Les gardes qui avaient été chargés de surveiller le corps s'étaient assoupis. Elle retrouva la dépouille de Polynice rejetée et abandonnée par tous. Avec ses mains nues, elle prit de la terre à même le sol de Thèbes et en répandit sur le visage et le corps de son frère. Puis affectueusement, agenouillée près de lui, elle offrit trois libations afin que son âme s'envole.»

Susannah écoutait avec respect et compassion cette histoire vieille de deux mille cinq cents ans. Ne l'avait-elle pas, en quelque sorte, vécue à travers sa petite fille morte sans baptême et enfouie sans rituel dans un coin obscur du cimetière de la paroisse?

Et soudainement, voulant sans doute connaître la fin de l'histoire:

— Et Antigone, qu'est-ce qui lui est arrivé?

— Elle a été enterrée vivante comme l'avait promulgué le roi de Thèbes. Mais écoute bien ses dernières paroles: «Si j'avais dû laisser sans sépulture un corps que ma mère a mis au monde, je ne m'en serais jamais consolée.»

Susannah ne tenait déjà plus en place quand Flora reprit la parole:

— Vous non plus, ma mère, vous ne vous en êtes jamais consolée. Et moi non plus, avoua-t-elle, je ne m'en suis jamais consolée.

Susannah résistait encore et, de peur, serrait son châle sur sa poitrine.

– Quand même... finit-elle par dire. Quand même...
Antigone a désobéi aux lois.

– En un sens, oui. Antigone a désobéi aux lois faites par
les hommes mais elle a obéi aux lois naturelles que nous
portons tous au fond du cœur. Elle a enseveli son frère,
librement.

Susannah demeura longtemps silencieuse. Puis, se retournant enfin vers Flora :

– Au mois de mai, quand le sol sera dégelé...

– Nous prendrons de la terre dans nos champs et nous
irons en déposer derrière la petite colline...

– Dans le coin droit, au fond...

– Et d'ici là, nous fabriquerons, pour le tombeau de ta
petite fille et de ma petite sœur, une croix en branches de
noisetier qui se perdra parmi les herbes.

– Oui, Flora, dit la vieille mère. Nous irons ensemble,
toi et moi, lui rendre le dernier devoir et lui chanter le
Laudate, pueri, Dominum...

Et, regardant au loin, comme pour mieux établir la liberté intérieure qu'elle venait de découvrir :

– À partir d'aujourd'hui, dit-elle fermement, ta petite
sœur a un nom. Dans mon cœur, je l'ai baptisée. Elle s'ap-
pellera Antigone.

XII

Au calendrier, la première pleine lune de l'équinoxe du printemps annonçait le dimanche de Pâques dans la deuxième semaine d'avril. La Semaine sainte avait fait taire les cloches qui, disait-on avec un sourire entendu, étaient parties pour Rome. Certains prétendaient que toutes les cloches du monde se retrouvaient alors au Vatican. D'autres, qui avaient jeûné pendant les quarante jours du carême, affirmaient, souriant toujours, que les cloches étaient allées chercher les clefs du saloir, ce qui leur permettrait de manger gras dès leur retour! Quoi qu'il en soit, bientôt Mlle Martine donnerait la note à Alphée, le maître-chantre, et ils feraient retentir dans la nef de l'église l'alléluia joyeux du rite chrétien de la résurrection du Christ.

Ce jour-là, les gens se levaient tôt. Certaines femmes – les Acadiennes surtout – faisaient la course «des saintes femmes au tombeau». Dès le petit matin, elles s'habillaient pour se rendre à l'église afin d'y devancer leurs voisines. Les hommes se réveillaient avant le lever du soleil pour se rendre aux ruisseaux ou aux rivières afin d'y «cueillir» l'eau de Pâques. Certains vieux du village affirmaient qu'ils avaient déjà vu danser le soleil, à la première lueur du matin pascal.

Flora et Jules s'étaient entendus pour aller puiser l'eau de Pâques dans la rivière Ristigouche en traversant les nombreux champs aux confins du village.

— Je partirai avec Léonard, lui avait-il dit, vers quatre heures du matin. Pars quelques minutes avant nous, Flora. Nous te surveillerons de loin et nous te rejoindrons.

Le jour commençait à blanchir l'horizon quand Flora aperçut des gens du village déjà penchés vers l'eau du ruisseau de la coulée des Dufour. Elle marchait d'un pas vif dans cette aube légère. Il lui fallait rejoindre la Ristigouche avant l'aurore, car l'eau pascale ne se corrompait pas et guérissait des maladies pour autant, disait la tradition, qu'elle soit puisée avant le lever du soleil. C'est à travers les chants matinaux de quelques oiseaux encore ébouriffés qu'elle entendit le sifflement léger poussé par Jules ou Léonard.

— Je remonte le long du courant, fit Léonard en s'éloignant.

La rivière Ristigouche était éblouissante de force rebelle et sauvage. Grossie quotidiennement par la fonte des neiges, elle dévalait bruyamment en rapides pleins d'écume le long de ses rives débordantes de bouleaux et de frênes, dont les branches commençaient à peine à bourgeonner.

Flora et Jules se regardèrent un long moment, essoufflés par la marche vive, les yeux remplis par la vigoureuse beauté de la Ristigouche, les oreilles étourdies par le rythme incessant de la poussée de l'eau.

— Il faut faire vite, déclara Jules. Le soleil est sur le point de se lever.

— On doit puiser à contre-courant, répliqua Flora.

— À contre-courant, comme le saumon qui remonte la rivière, comme toi, Flora. Qu'as-tu voulu me dire il y a déjà quelque temps alors que nous parlions entre les bancs de neige?

Flora respira profondément. Elle releva la tête en regardant d'abord au loin, puis fixa énergiquement ses yeux dans ceux de Jules.

— Je me connais, dit-elle enfin. Je ne pourrais pas vivre emmurée dans les seules charges domestiques comme le font traditionnellement les femmes du village. Je sens profondément que je serai heureuse par l'amour, par la famille, mais aussi par mon métier que je veux continuer d'exercer. Pour moi, l'un n'empêche pas l'autre.

Jules ne parut pas étonné par ce discours.

— Je sais aussi, continua Flora, que ce projet est étranger au code du village et que la culture comme la religion nous ont habitués à des nécessités qui semblent implacables et irréversibles. Vous voyez bien, Jules, que je suis comme le saumon qui revient dans ses eaux natales mais à contre-courant.

— Deux choses, reprit vivement Jules. Flora, tu étais à Boston quand le gouvernement a mis sur pied le Conseil d'hygiène de la Province de Québec. Tu as le bagage médical pour y participer et tu développerais ainsi des connaissances en matière d'hygiène. Nous remplirons ensemble le formulaire, continua-t-il avec cet élan vers la vie qui le caractérisait. Au fil des jours, j'ai appris à lire par-dessus l'épaule de mes filles, confia-t-il en souriant.

Il se dressa devant elle, tenant encore dans sa main droite le flacon rempli à ras bord par l'eau de Pâques. Son regard était fier, direct, confiant et ses yeux... ses yeux, bleus et pénétrants, pareils au bleu du ciel un jour de juin quand la brise presque chaude effleure le visage et que le soleil s'attarde sur la peau.

— Flora, commença-t-il simplement, Flora, veux-tu devenir ma femme?

Elle fut étonnée par la joie soudaine et immense qui avait envahi leurs corps, par les bras de Jules qui se refermaient vigoureusement sur elle. Puis, soudainement, il retourna à la rivière, y puisa rapidement dans le creux de ses mains un grand filet d'eau, qu'il fit couler entre les doigts de Flora.

— C'est le baptême de notre amour, dit-il. La Ristigouche est le témoin de nos fiançailles.

De nouveau, elle découvrait avec émerveillement l'indépendance spirituelle de cet homme dégagé des vérités établies et des dogmes. Pour elle comme pour lui, l'aspect visible du rituel manifestait la réalité invisible que ce rite incarnait mystérieusement. Pour eux deux, les rituels étaient présents et signifiants autant dans la nature que dans la tradition chrétienne.

— Oui, je veux être votre femme, répondit-elle. Dès la venue de l'automne, en septembre.

En ce soir de la fête de Pâques, Flora ne se soucia pas de prendre la lampe d'opaline bleue que Marie et James lui avaient offerte à l'occasion de son anniversaire, à Boston. Elle monta rapidement à sa chambre, où la pleine lune inondait de vives raies obliques la fenêtre de sa lucarne. Elle s'étendit sous sa courtepointe, l'esprit rempli par les images intenses de la journée, auxquelles s'accrochaient confusément des souvenirs anciens. Elle s'endormit aussitôt et ses songes l'amenèrent étrangement dans un banc de brouillard qui s'ouvrait devant elle au fur et à mesure qu'elle y déambulait. Elle y marchait en effleurant le sol, comme le font les pieds des anges dans les images.

Elle vit d'abord le Gabriel de ses dix-sept ans, ses yeux de velours qui l'appelaient vers ailleurs, mais aussi ses bras perfides qui avaient voulu l'emprisonner sous son appétit d'homme. Plus loin, elle se pencha sur la dépouille de Thomas le Métis, étendu sur la berge de la rivière, les bras allongés de chaque côté de son corps de noyé. Puis elle aperçut James et, auprès de lui, Marie, son assistante médicale. Ce n'était plus elle, Flora Martin, qui occupait ce poste.

Surgit aussi de ce ruban de brume le visage inquisiteur d'Edward MacRae. Il sortait de sa riche propriété victorienne, un collier de perles à la main, et soudainement sa redingote noire se mit à se déplier dans une chatoyante livrée bleutée qui se relevait en roue comme un paon qui fait la parade. Dans son rêve, Flora riait, riait d'un grand rire sonore et libérateur qui la déchargeait d'un poids énorme qu'elle ne parvenait cependant pas à identifier totalement. Et c'est dans un faisceau de luminosité qu'elle rencontra l'homme qu'elle allait découvrir et aimer.

– Je suis Jules Dufour, dit-il en la regardant de ses yeux clairs.

– Je suis Flora Martin, répondit-elle en tournant vers lui son visage fier.

Et le rêve remontant vers la vie, son cœur, son corps furent envahis d'une immense certitude : celle d'aimer et d'être aimée. Elle réalisa clairement que cette reconnaissance de l'amour se suffisait en elle-même car, dans tout ce qu'ils disaient, elle, Flora, et lui, Jules, justement ils se reconnaissaient.

Flora se réveilla tout à fait, inondée, emportée par un bonheur sans nom.

Le lendemain matin, elle décida d'annoncer à ses parents son mariage avec Jules Dufour au début de l'automne. Et, son bonheur débordant jusqu'à Boston, elle s'empressa d'écrire à Marie. «Venez tous, disait-elle, toi, ma tendre amie, James, Alexis, William et votre toute nouvelle petite fille, Florence.» Elle les invitait à se rendre à Saint-Alexis une semaine avant son mariage, car elle et Jules partiraient tout de suite après le premier repas qui suivrait la cérémonie à l'église, repas qui serait offert à toute la parenté par Susannah et Joseph-Octave.

Jules avait laissé entendre à Flora que oui, même à leur âge, il viendrait faire la grande demande, le dimanche suivant la fête de Pâques, après la messe. C'est pourquoi ce jour-là, dès que l'*Ite missa est* eut été prononcé, Flora ferma rapidement le recueil des cantiques, salua tout aussi rapidement Mlle Martine et sortit de l'église par la petite porte dérobée. Elle voulait arriver chez elle avant Jules.

Chez les Martin, on avait déjà ouvert la cuisine d'été et, en cette dernière semaine d'avril, un soleil radieux la remplissait de cette odeur indéfinissable s'imprégnant dans les pièces qui, fermées pour l'hiver, s'ouvrent sur le printemps et l'été. La veille, Flora y avait déposé dans de larges vases en émail granité des bouquets composés de jeunes touffes de cèdre. Tôt le matin, elle avait cueilli dans les sous-bois de verts courants de la Vierge, dont le clocheton rose ne fleurirait qu'en juillet. Elle en avait décoré, en les laissant tomber finement de tous les côtés, le vase en faïence éclatant de blancheur ayant appartenu à l'aïeule, Maggie McLean. C'est dans cette pièce que Jules ferait la grande demande.

Le cérémonial était inscrit dans la famille Martin. Alors que Susannah s'affairait à mettre au feu le rôti de bœuf du dimanche, Joseph-Octave s'était assis, tel un patriarche, dans le fauteuil à accoudoirs rembourrés en crin de cheval, sa barbe, épaisse et fournie, étalée sur sa poitrine.

« Florence, disait-il simplement, Florence… » Puis il se taisait et attendait gravement et solennellement la demande en mariage dans un décorum qui faisait battre le cœur de Flora. Elle avait manifesté à Jules le désir que les enfants soient présents.

Elle le vit venir au détour de la route, accompagné par ce qu'il avait lui-même nommé « la corbeille de noces » : ses deux garçons endimanchés, l'œil fouineur, ses deux filles discrètes et joyeuses, vêtues de leur robe en organdi, la bleue pour Corinne, la rose pour Juliette, et coiffées d'un léger chapeau de paille dorée entouré d'un large ruban de velours qui se mêlait à leurs cheveux.

Comme à l'habitude, Jules fut clair et précis.

— Susannah et Joseph-Octave, annonça-t-il, je suis venu vous demander la main de votre fille Flora afin qu'à l'automne elle devienne ma femme et la nouvelle mère de mes enfants.

— Oui, il nous faut une mère, avait répliqué le plus petit des quatre dans un sourire de confiance absolue qui en disait long sur sa patience d'enfant.

Toutes les mains s'étaient unies pendant que l'eau qui bouillait pour le thé invitait au premier repas partagé autour de la table dans la cuisine d'été. Étonnamment, Susannah débordait de tendresse, comme si, d'un coup, son vieux cœur de mère avait rajeuni devant ces quatre enfants qui, à l'exemple de leur père, avaient choisi la vie.

Flora et Jules étaient conscients qu'ils se verraient peu durant les mois d'été qui précéderaient leur mariage. Leurs obligations respectives étaient pressantes. Pour Jules, les enfants, le double travail de la forge et de la future meunerie. Flora devait voir aux préparatifs du mariage, continuer d'aider Mme Georgina à l'école, aller s'instruire davantage tout en visitant les malades et les familles. Cependant, tous deux avaient simplement pressenti que le devoir et l'engagement étaient au cœur de leur amour. Ils s'aimeraient de loin à travers la douceur des tout premiers soleils de l'été, à travers leur travail, leurs sacrifices et leurs efforts.

C'est ainsi que, profitant des allées et venues de Cyrille en tant que cantonnier, Flora montait dans la charrette tirée par les percherons et se rendait aux séances d'information présentées par les fonctionnaires du Conseil d'hygiène de la Province de Québec. Puis elle visitait les familles en leur expliquant des mesures de propreté et d'assainissement susceptibles d'abaisser le taux de mortalité infantile et même celui des femmes en couches. « Pouvoir donner la vie sans la perdre », répétait-elle aux femmes du village tout en esquissant avec pudeur et prudence – que leur dirait en effet le prêtre au confessionnal ? – un certain éveil à la régulation des naissances.

Quant à Jules, dès qu'il fermait en fin d'après-midi les doubles vantaux de sa forge, il rejoignait Léonard aux champs. Prestement, tous deux descendaient à la coulée des Dufour et, pressés par les gens du village, ils enfonçaient les derniers clous dans la charpente du futur moulin. Déjà, dans l'abri construit à proximité, les pères de famille, tenant à s'assurer de leur provision annuelle de farine, avaient remisé de lourds sacs de blé clairement identifiés.

La grande roue du moulin ne tournait pas encore. On pouvait pourtant apercevoir de la route le bâtiment bien accroché à la falaise et, en amont, la chute d'eau tumultueuse alimentée par la puissance des deux ruisseaux et retenue par une solide digue de bois. On pouvait même voir briller au soleil le dalot de métal forgé par Jules et qui apporterait l'eau vers la grande roue.

Les gens du village s'impatientaient :

— La mouture, c'est pour quand ? On finira par l'avoir, notre fleur de farine ?

D'autres s'offraient même pour éventuellement bluter la farine, quitte à se couvrir de manivolle, cette fine poussière de son qui finissait par vous coller au visage.

Léonard restait impassible devant ces doléances, tandis que Jules répondait avec un éclair de joyeuse malice au coin de l'œil :

— La fine fleur, vous pourrez bientôt l'entreposer dans votre grenier. Vous comprenez, après tant d'années, les vieilles meules ont perdu de leur mordant. Il faut les rhabiller, ajoutait-il en riant.

Les vieilles meules ? Quelles vieilles meules ? De mémoire, on n'avait jamais vu de telles meules au village.

Cependant, certains parlaient parfois entre eux « des meules à Bonaparte », rapportées de peine et de misère depuis l'Île-du-Prince-Édouard jusqu'à l'embouchure de la rivière Matapédia mais abandonnées là, « en quelque part », à cause des canots qui étaient trop légers pour en supporter la pesanteur. De toute façon, en 1860, quand on commençait tout juste à défricher le plateau de la montagne qui deviendrait plus tard le village, les outils dont on ne pouvait se passer, c'étaient les haches, les scies et les marteaux.

– Quand on est en train de défricher son lot, on ne pense pas encore au moulin à farine, prétendaient les anciens.

C'est ainsi qu'on avait oublié les meules. Voilà pourquoi le jour de la première mouture allait être un jour de fête.

Guidé par Joseph-Octave et aiguillonné par son esprit frondeur de cantonnier et de maquignon, Cyrille, à la suite des fouilles répétées dans les boisés entourant les rives de la rivière Matapédia, avait retrouvé, ensevelies sous d'épais feuillages, les fameuses « meules à Bonaparte ». Ces meules avaient été achetées à New York à même les fonds donnés par Napoléon III aux Acadiens de la colonie de Rustico, à l'Île-du-Prince-Édouard, et destinés à la construction d'un moulin à farine. En effet, Napoléon III, dit Charles Louis Napoléon Bonaparte, avait toujours désiré soutenir les nationalités opprimées et favoriser en même temps le catholicisme. C'est ainsi que le troisième empereur des Français avait fait expédier à Rustico, où s'étaient réfugiés les colons français de l'ancienne Acadie, une importante somme d'argent réservée aux besoins les plus urgents, dont la construction d'un moulin à farine. Après la poule au pot du bon roi Henri IV à laquelle devaient avoir droit tous les paysans français, Charles Louis Napoléon Bonaparte avait considéré que les cousins oubliés sous le ciel d'Amérique devaient avoir droit tout au moins à leur miche de pain.

Fier de son exploit, Cyrille avait donc nettoyé, lavé, fait sécher au soleil et au vent les meules retrouvées et avait demandé à Henriette, sa Petite Marquise, de pomponner ses percherons et sa charrette afin de faire une entrée triomphale au village. Jules et Léonard étaient ses complices.

– Napoléon d'un jour, leur avait-il confié en bombant le torse, la main droite glissée sous la boutonnière de sa chemise à carreaux.

Et à Henriette :

– Je veux rentrer au village demain avec les meules comme Napoléon le faisait sous les arcs de triomphe... avant la bataille de Waterloo, avait-il lancé d'un ton moqueur et d'une voix gaillarde.

– Ne me parle pas d'une autre bataille gagnée par les Anglais, avait riposté placidement la Petite Marquise tout en ouvrant sa grande armoire aux tablettes débordantes de bouts de tissu, de boutons, de guipure et de rubans en papier multicolore.

C'est ainsi que le jour de la première mouture avait été marqué par la surprise, l'émotion et l'allégresse. Dès le début de la matinée, Firmin, « le coureur à Albertine », avait été chargé de rameuter le village, et quand, vers les dix heures, les cloches de l'église se mirent joyeusement à sonner, les hommes qui étaient aux champs, les mères et les enfants rejoignirent la route qui traversait le village. Et l'on vit venir au loin tout un attirail azuré tourbillonnant au vent.

Les chevaux de Cyrille avançaient lentement. Bientôt apparurent, solidement ancrées au milieu de la charrette pavoisée, les lourdes meules de pierre servant à moudre le grain. La Petite Marquise avait décoré les ridelles de la charrette de guirlandes en papier crêpé bleu et blanc piqué de l'étoile jaune acadienne. Cyrille en avait tressé sur les harnais, la crinière et la queue de ses percherons pommelés.

Tout le village était en émoi. Les enfants couraient sans trop savoir quel bonheur ils célébraient, les mères de famille, étonnées, questionnaient leurs maris qui, à leur tour, consultaient les plus âgés, les pionniers de 1860. Bientôt, la rumeur se confirma : plus de trente-sept ans après le don aux colons de Rustico, les meules à Bonaparte entraient dans la petite histoire du village à demi acadien et à demi canadien-français de Saint-Alexis-de-Matapédia.

Quand l'attelage arriva devant l'église, Cyrille y arrêta solennellement ses chevaux, comme le barde écossais Walter Scott le faisait lors de ses promenades. À ce moment précis et instinctivement, Alphée Dufour, le maître-chantre, entonna l'*Ave Maris Stella*, ce salut à l'étoile de la mer, l'hymne à la Vierge si chère au cœur des Acadiens. Ce fut un moment de bonheur pur suspendu entre ciel et terre, moment bientôt suivi d'accolades plus « terrestres » entre les enfants qui se bousculaient, sautaient et criaient :

– Suivons Firmin !

Le garçon avait déjà pris la route du moulin, accordant consciencieusement le rythme de ses longues jambes au pas régulier que Cyrille imposait à ses chevaux. Les gens du village se mirent aussi à suivre ce cortège baroque, reconnaissants au ciel et à la terre, échangeant entre eux, discutant de qualité de farine, de froment, de levain, de crêpes et de galettes qu'ils cuisineraient bientôt, clamaient-ils fièrement, avec la farine de leur moulin.

— La galette des Rois sera vraiment la nôtre, se disaient les mères de famille, roses de contentement.

Et, plus bas :

— Saviez-vous qu'entre Flora et Jules... ?

— Ils publieront sûrement les bans avant la fin de l'été.

Huit bras forts venaient de décharger les meules, et les meuniers, l'œil attentif, s'apprêtaient à les affûter grâce au marteau de moulin, dont la tête acérée avait pour fonction de strier la pierre.

— Des meules trop lisses aplatiraient les grains de blé, expliquait Léonard aux gens qui l'entouraient.

Jules renchérissait en leur montrant le marteau de moulin qui servirait à creuser dans la meule des rainures permettant de moudre le blé en farine fine.

Jules, l'œil toujours en éveil, avait aperçu Flora et, s'en étant approché rapidement, lui avait demandé :

— Suivras-tu la procession de la Fête-Dieu, Flora ?

— Oui, je serai aux côtés de ma mère, répondit-elle avec d'autant plus de bonheur que, en ce jour férié, tout travail étant suspendu, ils trouveraient sûrement un moment pour se voir un peu.

Ils s'entendirent brièvement.

— À la fin de la procession, dès les dernières notes du *Tantum ergo*, je quitterai le groupe des hommes pour aller te rejoindre, lui indiqua Jules.

— J'en ferai autant, répondit-elle tout en insistant pour que les enfants les rejoignent.

— Nous retrouver tous deux avec les enfants sur la route du village ? fit Jules étonné. C'est un geste public.

— Oui, c'en est un, répliqua-t-elle fermement. Nous marcherons ensemble jusqu'à la maison et nous y prendrons notre deuxième repas en famille dans la cuisine d'été avec Susannah et Joseph-Octave.

La tradition de la Fête-Dieu, dont le cérémonial remontait au Moyen Âge, s'était perpétuée trois siècles plus tard dans les colonies françaises d'Amérique. Célébrée, d'après le calendrier liturgique, soixante jours après Pâques, cette fête s'ouvrait naturellement sur l'été. Les journées s'allongeaient, la lumière devenait plus éclatante, et les sillons nouvellement creusés par les charrues dans les champs laissaient éclater dans l'air les odeurs de la terre à demi réchauffée. Le grand rassemblement de la Fête-Dieu s'inscrivait profondément dans la représentation symbolique des relations entre la terre, le ciel, le patrimoine liturgique chrétien et la lignée humaine des croyants.

C'est sans doute pourquoi une joyeuse fébrilité s'était déjà emparée des habitants du village. On avait raclé les sols, nettoyé les bâtiments, lavé vitres, fenêtres et vérandas de la neige d'hiver et des pluies du printemps. On avait commencé à ériger ici et là, tout le long de la route que devait emprunter la procession, des arcades de verdure abondamment fournies de fines branches de sapin. On était monté au grenier et, à travers les effluves laissés par les vents de l'hiver, on avait choisi des culottes courtes, des robes en cotonnade fleurie, des hardes plus légères pour travailler aux champs. Mais aussi des vêtements de dimanche d'été pleins de distinction, car on fêtait Dieu.

De leur côté, les hommes d'Église avaient déjà préparé les objets de culte destinés à cette fête dont ils voulaient montrer toute la magnificence. C'est ainsi que les riches pièces d'orfèvrerie, telles que la croix de procession et l'ostensoir, avaient été astiquées et lustrées afin que, brillant de tous leurs feux, elles puissent être offertes à l'admiration des fidèles. On avait réajusté les quatre baguettes arrondies qui soutiennent le dais, ce pavillon portatif dont on avait défroissé le tissu en fine soie moirée, à la passementerie de fils d'or, de torsades et de glands également dorés. On avait examiné le parasol dont la forme arrondie et la texture chatoyante rappelaient quelque mystérieux objet d'Orient et qui servait, comme le dais, à protéger le prêtre qui marcherait sur la route balisée du village en portant l'ostensoir, dont la lunette retenait l'hostie consacrée.

En cette année de 1897, la Fête-Dieu se déroulait sous le soleil limpide de la mi-juin et Flora se réjouissait du choix de la maison de Cyrille Dufour pour l'érection du reposoir, cet autel en plein air destiné à recevoir l'ostensoir à la fin de la procession.

La maison de Cyrille Dufour constituait l'exception architecturale du village. Coiffée d'un toit mansardé à quatre versants à pente douce percée d'autant de lucarnes, ses larmiers débordants abritaient une vaste galerie qui ne se laissait rejoindre qu'au bout de ses dix ou douze marches. La Petite Marquise avait garni de draps blancs le centre de la galerie où prendrait place le reposoir et, dès l'aurore, elle y avait piqué des ombelles vives de géraniums. Sur chacune des marches menant au reposoir, elle avait déposé d'énormes bouquets de lilas qui lançaient leur doux parfum à travers les feuilles tremblantes des grands peupliers qui bordaient l'allée s'ouvrant sur la maison. Tout le village « marchait » à la procession.

Plusieurs fois, Jules et Flora s'étaient cherchés du regard par-delà les bannières qui, tout en flottant au vent, séparaient les groupes de petites filles, de petits garçons, d'hommes et de femmes qui suivaient la procession. Encore cette fois, Flora et Jules s'aimaient de loin, au-dessus des encensoirs brandis par les enfants de chœur, entre les lanternes de processions vitrées de rouge, psalmodiant avec la foule le *Pange lingua*, s'inclinant au rythme des évocations devant la croix du chemin. De vifs sentiments d'admiration transportaient l'esprit libre de Jules vers Flora, qui l'impressionnait toujours aussi fortement par le corps à corps courageux et lucide qu'elle menait depuis toujours pour le respect de sa différence. S'il la trouvait provocante par ses idées d'égalité et par son caractère singulier, la façon qu'elle avait, lors des discussions, de regarder les gens jusqu'au fond des yeux, pendant que sa poitrine de jeune femme respirait tranquillement sous son corsage, le terrassait de désir. En ce moment même, en plein milieu des litanies scandant la marche de la procession, tous deux auraient été étonnés de la nette différence de leurs pensées.

C'est ainsi que, à la faveur des mouvements de foule, Jules, qui avait repéré Flora dans le groupe des femmes, s'était glissé vers la gauche de la deuxième rangée du groupe des hommes. De là, pouvant apercevoir Flora tantôt de dos tantôt de profil, il se repaissait de ses hanches qui ondulaient sous une jupe d'été légère, de sa taille fine serrée par un ceinturon, de son dos droit sous le corsage d'un «rose saumon», avait-il décrété. S'il se penchait un peu plus vers la gauche, il pouvait à satiété se rassasier de sa poitrine «ronde comme la lune quand elle est pleine», pensa-t-il aussi. Puis il s'imagina qu'un jour, dans quelques mois, il ferait sauter de leurs ganses tous ces minuscules boutons nacrés qui en fermaient la ligne d'encolure. Oui, il la désirait d'un désir précis, un désir précis d'homme.

Quant à Flora, dès son entrée dans le défilé, elle avait plutôt repéré les enfants de Jules. Les quatre enfants : sa corbeille de noces. Elle les regardait chacun leur tour et, étrangement, elle ressentait à travers tout son corps des élans de tendresse pour eux, ceux-là mêmes qu'elle avait éprouvés pour les enfants de l'école du village, pour les enfants de Marie Bastarache, pour ceux qu'elle avait soignés à la clinique du D^r McLean et surtout pour le tout petit Antonio D'Alesio qu'elle avait si souvent serré sur sa poitrine. Comme si elle avait vécu alors les présages de la maternité humaine, comme si elle s'était sentie mère avant même d'être une mère. C'est pourquoi elle décida qu'elle profiterait des longues vacances d'été pour se rapprocher des enfants de Jules, afin de les connaître davantage et de tenter de les apprivoiser. Car bientôt, dans quelques mois, à l'automne...

Brusquement, elle se sentit toutefois interpellée par un regard insistant, un regard sans doute fixé sur elle depuis le début de la procession. Elle se retourna brièvement mais juste assez longtemps pour entrevoir dans les yeux clairs et bleus de Jules un désir qui lui parut cru, primaire, sans détour, presque animal. Elle réalisa avec un certain effroi qu'il savait ce qu'était l'amour physique. Elle, elle ne le savait pas.

Au même moment, et bizarrement, lui revinrent en mémoire, bien que lointaines et imprécises, les histoires bibliques de Sara et de Ruth. Non pas l'histoire de Sarah, femme d'Abraham et mère d'Isaac, mais l'histoire racontée dans le Livre de Tobie. Sara, fille de Ragouël, avait été promise par son père à sept hommes différents, qui avaient tous été tués avant qu'ils ne fussent avec elle. Ce qui avait fait dire à Tobie que cette femme, Sara, était « restée pure de toute impureté masculine ». Jeune, Flora avait été effrayée par ces mots et par ce qu'on appelait dans les dix commandements « l'œuvre de chair ».

Il y avait aussi Ruth, la jeune Maobite qui, après avoir glané des épis sur les terres de Booz, leur propriétaire, se coucha toute la nuit à ses pieds avant qu'il ne la prenne et que leur fils, bisaïeul de David, devienne l'ancêtre de Jésus.

Quelle était donc la place des femmes ? Où était cette place ? Les femmes avaient-elles eu de tout temps une place désignée ? Et par qui ? Il lui semblait que, depuis des siècles, les rapports entre les hommes et les femmes n'avaient pas bougé, étaient immuables.

Justement, Flora avait tout le temps pour observer les femmes du village qui marchaient devant elle, à côté d'elle, derrière elle. Elle les voyait de si près qu'elle put remarquer la couleur rougeâtre de leur peau frottée depuis l'enfance au savon du pays, leurs cheveux lustrés par le lavage à l'eau de pluie, leurs mains marquées par les innombrables corvées quotidiennes à l'extérieur comme à l'intérieur de la maison. Et surtout, leurs hanches élargies, leurs seins généreux toujours prêts à allaiter, la rondeur de leur ventre, tous attributs de leurs nombreuses maternités. Elle connaissait ces femmes braves et courageuses. Elle les admirait. Mais cette vie n'était pas faite pour elle. Elle déciderait elle-même combien elle voudrait d'enfants, et quand. Elle en discuterait avec Jules. La revanche des berceaux, ce n'était pas non plus pour elle.

Derrière le groupe des femmes s'avançaient les hommes du village habitués aux plus durs labeurs, pères consciencieux de grosses familles, engoncés dans leur seul habit, l'habit noir de leurs noces, complètement étriqué, élimé, lustré par le temps. Lequel de ces hommes, se demanda-t-elle soudain, lequel avait pleuré pendant des heures en suppliant sa femme de ne pas le priver « de ça » ?

Jeune, Flora avait toujours été intriguée par ce que Joseph-Octave appelait « des histoires de femmes » et dont Albertine et sa mère ne se privaient pas, bien qu'elles baissaient la voix quand elles la voyaient dans le voisinage. Un jour, Albertine, toujours aussi colorée, avait lancé :

— Telle femme, tu sais de qui je veux parler… au bout du rang… ils avaient déjà douze enfants…

Susannah aimait ces courts instants qui précédaient un semblant de secret et elle les faisait durer.

— Telle femme, répétait-elle, telle femme… au bout du rang ?

— Ça va te revenir, et le nom en même temps, chuchotait maintenant Albertine. Comme je t'ai dit, ils en avaient déjà douze. La mère exténuée, affolée par toute cette besogne – écoute bien, Susannah, vrai comme je te le dis –, la mère a suggéré, pas demandé, suggéré au mari, avec des si, des peut-être, des on pourrait essayer, de retarder les prochains. Tu sais quoi ? L'homme s'est mis à pleurer, à pleurer, tout en gémissant : « Tu peux pas me priver de ça… Non, tu peux pas. » Ils viennent d'avoir leur quinzième enfant.

Cette histoire était impitoyablement vraie. Le « ça », se demandait encore Flora, était-il si inhérent à l'être humain que la perte de son usage pouvait en venir à faire pleurer un homme et l'obliger à supplier ? Le « ça » libre, sans frein, constituait-il aussi une consolation pour calmer l'angoisse, la peur, la misère ? Les hommes du village ressentaient-ils plus violemment que les femmes cette imprégnation de l'antique instinct de reproduction, de copulation, venant de l'infini des âges?

Flora se souvenait aussi de cette autre fois où elle avait entendu vaguement sa mère et Albertine parler entre elles de ce qu'elles avaient désigné comme le devoir conjugal. Elles avaient évoqué les vieilles lois affirmant que, si la femme refusait de satisfaire son mari, celui-ci chercherait ailleurs. Et, soudainement, Albertine avait lancé que telle femme, «tu sais de qui je veux parler, Susannah», était encore «partie pour la famille». Ce à quoi Susannah avait rétorqué:

— Tout le monde le dit, Albertine, ça ne peut faire autrement...

Et, en baissant la voix:

— Il paraît que son mari lui demande son dû à tous les soirs de la semaine. Sept jours sur sept. C'est bien connu, on le voit dans ses yeux, cet homme-là ne pense qu'à forniquer!

Forniquer! La sonorité de ce mot avait toujours intrigué et fait sourire Flora, comme le mot tout aussi bizarre de concupiscence.

XIII

« Il y a promesse de mariage entre Flora Martin, fille de Susannah McLean et de Joseph-Octave Martin, et Jules Dufour, fils de Cédilice Bart et d'Ambroise Dufour. » Depuis que les bans avaient été publiés, Flora se sentait beaucoup plus libre dans ses allées et venues vers la meunerie et surtout vers la forge. Des mois durant, ils s'étaient observés de loin tels deux écureuils qui tournent autour d'un arbre tout en se guettant et en profitant de la moindre branche pour se retrouver. Maintenant que le prêtre de la paroisse, du haut de sa chaire, avait annoncé leur mariage, les commères n'auraient plus ni à les épier ni à ergoter.

C'est ainsi que Flora allait s'asseoir quotidiennement dans le coin de la sellerie, où Jules réparait les harnais et les brides des chevaux. Les enfants couraient autour, rentraient, sortaient et n'étaient plus étonnés de la retrouver là, près de leur père. Et, dès qu'ils décidaient d'aller jouer dans les champs, Flora et Jules se rapprochaient l'un de l'autre dans un désir farouche où ils cherchaient, dans la simple chaleur de leur corps, la patience d'attente qu'il leur fallait.

Un jour, Flora était apparue brièvement à la forge, vêtue d'une fine blouse de paysanne, un tablier de coutil rayé bleu foncé enroulé fermement autour de la taille.

Elle annonça qu'elle avait décidé de savoir tenir les rênes d'une maison.

– Je dois apprendre des autres femmes, dit-elle à Jules.

Elle prétendait que, si elle voulait continuer d'aider Mme Georgina à l'école et poursuivre la visite des malades, elle devait pouvoir s'acquitter promptement de la tenue de maison.

Il sembla à Jules qu'elle était fébrile et préoccupée. Il lui sembla aussi que, certains jours, sa corbeille de noces devait lui paraître très lourde. Comment et où trouver de l'aide? Flora accepterait-elle d'être aidée, elle qui voulait tout mener comme elle l'entendait?

Les apprentissages de Flora étaient difficiles.

«Tu auras à nourrir une famille de six personnes», lui avait martelé sa mère avec laquelle elle apprenait, en ce mois de juillet, à faire des confitures aux fraises, aux framboises, aux bleuets et aussi aux gadelles noires, «pour prévenir, disait Susannah, les maladies d'enfants». Albertine lui montrait comment pétrir le pain, il fallait aussi connaître les techniques de conservation des légumes pour tout un hiver, elle devrait apprendre à cuire, macérer, fumer le poisson et saler la viande. De son côté, la Petite Marquise lui faisait pousser la pédale de sa machine à coudre en chantant allègrement, comme toujours, la chanson dite «italienne»: «Connais-tu le pays où fleurit l'oranger… Le pays des fruits d'or et des roses vermeilles…»

N'empêche. Flora traversait parfois encore rapidement à la forge et retrouvait Jules qui, tout en battant le fer, l'écoutait et, surtout, la regardait de ses yeux clairs qui, chaque fois, la réconfortaient. Elle repartait aussi vite qu'elle était venue, sachant qu'ils considéraient simplement tous les deux que s'instruire des choses de leur métier faisait partie de leur devoir d'amour l'un envers l'autre, de leur devoir d'état et surtout de leur devoir envers eux-mêmes. Souvent, le soir, Jules regardait vers la lucarne et, de son côté, Flora, qui restait tout aussi patiemment en attente, était convaincue d'une chose qu'elle considérait comme essentielle : dans le feu qui brûlait entre elle et lui, ils seraient égaux. Elle cherchait une nouvelle vie et il la cherchait avec elle.

Restaient les « grandes marées de l'automne dans la baie des Chaleurs » dont il voulait lui parler. Quant à elle, il lui tardait de l'entretenir des « influences surprenantes de la lune sur les femmes », lui avait-elle confié sur un ton taquin et légèrement sentencieux.

La lune ?

– En autant qu'il ne sera pas question de la lune rousse, avait-il répliqué, car il n'aimait pas cette lune qui, encore au printemps dernier, avait fait roussir les jeunes brins d'herbe qui commençaient tout juste à pousser autour de la forge.

Flora avait éclaté de rire et, en repartant pour ses apprentissages, elle avait mis une main douce, mais ferme, sur le tablier de cuir du forgeron, là où battait son cœur.

– Il s'agit d'une lune et d'une lunaison particulières, lui avait-elle glissé alors que ses yeux brillaient d'un vif éclat de détermination.

Elle allait pivoter sur ses talons quand, se ravisant, elle ajouta :

– Vous savez sans doute, Jules, qu'entre deux lunes le corps des femmes peut changer. C'est inscrit dans sa nature et aussi parce que…

Puis, elle était vraiment partie dans un dernier sourire que Jules avait trouvé énigmatique.

Les apprentissages que s'était fixés Flora afin de devenir plus libre étaient exigeants et même parfois facteurs de culpabilité. Un jour que les enfants de Jules avaient été invités chez les Martin, elle avait entendu Juliette et Corinne s'extasier devant des «merveilles» contenues dans le solide coffre de voyage ayant appartenu à l'aïeule Maggie McLean. Ce coffre lui était si familier que Flora l'avait presque oublié, à demi caché qu'il était derrière une courtine dans la chambre à coucher de ses parents. C'est dans ce coffre dit «d'espérance» que les deux femmes écossaises Maggie et Susannah avaient empilé tour à tour leur trousseau de noces.

Flora eut honte. Elle ne s'était jamais vraiment souciée de préparer son trousseau comme les autres femmes, qui savaient coudre, tisser au moulin, filer au rouet, piquer des courtepointes. Susannah s'en était chargée pour elle, sa seule fille, qui n'avait «de tête que pour les livres», lui avait-elle souvent reproché.

– Oui, tout ce qui est dans ce coffre est pour Flora, bientôt la femme de votre père, avait dit fièrement Susannah.

Quant à Flora, elle constatait son indifférence et, pire, son insouciance à l'égard de l'énorme responsabilité d'une mère qui devait assurer concrètement le bien-être de sa famille. Chaque pièce qui sortait du coffre lui crevait les yeux : des catalognes rayées de toutes les couleurs, des couvertures en laine du pays, des nappes en toile de coton, des draps en lin, et là, tout à fait lovée dans un coin et enveloppée délicatement dans un léger papier bleuté, la robe de baptême en mousseline de soie d'une blancheur éclatante et dont les fils remontaient sans doute jusqu'aux premiers ancêtres venus de France en Acadie.

Flora prit sa mère dans ses bras et, pour l'une des premières fois, Susannah se laissa bercer par sa fille qui lui soufflait sa gratitude à l'oreille. Puis, joyeusement :

– Il reste de la place dans le coffre d'espérance, dit-elle en montrant le couvercle bombé, ce qui permet d'y ranger encore quelques pièces.

Plus que jamais, elle était résolue à réconcilier le plus sereinement possible ce qu'elle appelait ses deux vies de femme.

Marie et Flora avaient continué de s'écrire. Connaissant la détermination de son amie à concilier son couple, sa famille et son travail à l'extérieur, Marie lui avait conseillé d'expliquer clairement à Jules, avant leur mariage, qu'elle ne désirait pas de grossesses répétées comme c'était la coutume au Canada français. Et c'est grâce à Marie, qui lui avait mis à la poste les articles rédigés par le Dr Napheys lui-même et traitant de la régulation des naissances, qu'un jour d'août ensoleillé elle traversa résolument la route pour se rendre à la forge.

Elle venait de se rendre compte qu'elle serait seule avec Jules pour toute la matinée. Les garçons étaient partis avec Joseph-Octave pour racler le fond des champs et Susannah, de plus en plus près de Juliette et de Corinne, les avait invitées pour un dernier pique-nique dans la « bouillie » des Blaquière, cet îlot de jeunes trembles plantés comme des solitaires joyeux au milieu d'un grand champ.

Cependant, même – et surtout – avec des explications médicales en main, Flora n'était pas à l'aise. Au village, les familles de dix enfants et plus semblaient des plus naturelles. Le premier mariage de Jules avait duré neuf ans et cinq enfants étaient venus au monde. Était-il habitué, comme tous les habitants du village, à laisser la nature seule s'arranger aveuglément avec l'amour ?

La porte de la forge était grande ouverte et, quand elle y entra, Jules s'occupait à ressuer des haches usées. Des lanières de cuir, sans doute destinées à la fabrication des licous, dégageaient des parfums de tanin et d'écorce de chêne. Dès son arrivée, il l'avait regardée de ses yeux clairs et avant même qu'elle ait pu ouvrir la bouche :

– Parlant de lunaison, Flora, on dit que c'est la rencontre entre le soleil et la nouvelle lune qui provoque les grandes marées. Et il paraît que chez les femmes… Nous avons déjà quatre enfants. Je me demandais, Flora, comment toi, tu… ? Qu'est-ce qu'il disait le docteur de Boston ? Est-ce que c'est expliqué dans ton dictionnaire médical ? Je veux qu'on en parle clairement, continua-t-il en l'attirant vers lui.

Encore une fois, pensa Flora, il voulait comprendre et surtout la comprendre. Elle savait d'avance qu'il ne craignait ni les qu'en-dira-t-on ni les fêlures sociales que leurs décisions pourraient susciter au village et même à l'intérieur de leur propre famille. Elle sortit bravement de la poche de sa jupe les articles bien pliés du Dr Napheys envoyés par Marie. Elle souffla entre ses lèvres, si bas que Jules dut se pencher pour l'entendre :

– Je ne veux pas avoir autant d'enfants que… oui, je voudrai quelques enfants… deux peut-être… Je veux pouvoir continuer à aider Mme Georgina et les gens malades… je ne pourrai pas si…

Comment expliquer tout cela? Comment vivre tout cela alors qu'ici au village les berceaux ne désemplissaient pas?

Ils étaient seuls tous les deux, lui qui, en ce moment, tentait d'inventer une façon nouvelle d'aborder l'amour, et elle qui, subitement, malgré les papiers qu'elle tenait à la main, avait le goût de lui ouvrir ses entrailles de femme à cause de ce désir d'enfant qui souvent lui traversait les reins. Ils parlèrent jusqu'au moment où la cloche de l'église annonça midi, toujours étonnés de s'être trouvés après tant d'années et convaincus, à force de paroles, que leur amour, s'il portait une nécessité naturelle, portait aussi une nécessité logique. Vaillamment, à l'encontre des idées reçues, ils vivraient face à leur famille et à leur village selon leur façon de penser et leur liberté de choix.

Soulagée, heureuse, Flora écoutait de loin la description des grandes marées d'automne qui, selon Jules, étaient parfois si puissantes dans la baie des Chaleurs qu'elles remplissaient les anses, couvraient les barachois, s'avançaient très loin sur les pointes et léchaient de leurs vagues écumantes les falaises qui tombaient dans la mer. Jules désirait y amener Flora, et ainsi ils pourraient rencontrer ses amis, les Micmacs de la réserve indienne à proximité du village de Maria.

Puis, soudainement, le plus naturellement du monde, il sortit à son tour un écrit de la poche de son tablier de cuir et, repoussant la mèche rebelle qui lui tombait sur le front, il commença à lire prestement une histoire intitulée *La légende de la femme qui choisissait son mari* :

« Quand, dans les temps anciens, une jeune fille de la tribu micmaque voulait se marier, elle fabriquait un wigwam qu'elle tapissait de branches de sapin. Au milieu, elle installait un foyer qu'elle entourait de galets et, tout près, elle déposait sa couverture roulée. Puis, elle se tressait les cheveux avec des rubans en peau d'anguille, revêtait sa robe en peau tannée, enfilait ses bracelets faits de coquillages et chaussait ses mocassins brodés. Assise sur ses talons, près de la porte, elle regardait par un trou les jeunes gens qui savaient qu'elle était là et qui passaient et repassaient devant elle. Finalement, elle chassait rudement ceux qu'elle n'aimait pas et ouvrait la porte à celui qu'elle voulait pour mari... »

Avait-il, maintes fois, répété le texte avec ses filles pour pouvoir le lire avec autant d'aplomb ? C'était comme si, comme si, à la capacité que Flora avait eue de se transformer, il lui avait offert sa capacité d'apprendre.

Puis, soudainement malicieux :

— Et toi, Flora, tu m'as choisi à force de me regarder à travers ta lucarne, lui dit-il, rieur, en la délaissant pour reprendre le marteau de forge.

Cet homme était comme son feu : il n'était jamais immobile.

XIV

C'était le 19 septembre, le jour de son mariage. La veille, Flora avait reçu de la part des gens du village les bouquets éparpillés des dernières fleurs de l'été. Accompagnée d'Adélaïde, la mère adoptive artiste de la petite Joséphine, elle était allée en orner l'autel de l'église. C'est à son retour qu'elle avait aperçu, dans l'allée longeant la maison familiale, la silhouette de l'élégante voiture de promenade que l'on ne sortait que dans les grandes occasions. On disait de cette calèche qu'elle était une « Victoria » en l'honneur de l'impératrice-reine et aussi parce qu'elle s'ouvrait avec style sur des sièges à coussins rembourrés et que le toit rétractable à franges était en cuir huilé. Son père, à qui elle avait toujours voué beaucoup d'affection, s'affairait autour. Il en nettoyait les supports et les attaches à cordeaux, le porte-fouet, le marchepied, les rampes décoratives et la lanterne à parois transparentes. En observant les quatre grandes roues de la calèche parfaitement cerclées avec leurs moyeux, leurs rais et leurs joints, elle pensa à Jules qui, de par son métier de charron, en connaissait tous les secrets et elle en fut fière. Jules et Joseph-Octave étaient les deux hommes de sa vie.

Quant à Susannah, elle prétendait, aux dires d'Albertine, que la princesse Louise, épouse du marquis de Lorne alors gouverneur de la colonie, avait aussi choisi une Victoria, et que, conséquemment, sa fille se déplacerait dans une calèche presque royale. Ce n'étaient toutefois pas là les préoccupations de Flora.

En ce jour de son mariage, elle se réveilla à l'heure où le brouillard du matin fuit lentement devant le soleil levant. De sa lucarne, elle regarda vers la maison d'en face. Cette lucarne ouverte sur l'infini du ciel d'où elle avait si souvent cherché des signes. Elle éprouva soudainement le goût irrépressible d'aller humer cet air, comme suspendu, et semblant se reposer sur l'horizon entre la nuit qui finissait et le jour qui commençait. Elle sortit à pas feutrés de la maison, respirant à pleins poumons les parfums de l'herbe encore mouillée par la rosée. Dans quelques heures, elle allait épouser l'homme qu'elle aimait, qu'elle avait tant espéré et tant attendu. Et elle était plus que consciente que, si la vie lui avait enfin apporté l'amour, elle lui avait aussi confié une mission : celle d'éduquer, comme s'ils étaient les siens, les enfants de Jules. Un vent léger souffla bientôt du sud-ouest et dispersa les derniers nuages. Elle fit une ardente prière et un court serment. Le ciel revêtait en ce moment précis le bleu tendre et clair des yeux des quatre enfants de Jules Dufour.

Le tintamarre produit par le cliquetis des énormes chaudrons que père et mère sortaient du fournil – où ils avaient passé la nuit, au frais – et qu'ils transportaient dans la cuisine d'été la fit sursauter. Toute la parenté des familles Dufour et Martin était invitée au festin de noces, qui serait « inoubliable », disaient les femmes qui avaient aidé à la préparation.

«Vous comprenez, c'est leur seule fille», se répétait-on.

Au menu, des truites saumonées en gelée avec crosses de fougère, civet de lièvre et de perdrix à l'odeur de sapinage, légumes frais du jardin, rôti de porc piqué de l'ail des bois, crêpes mélangées à même la belle flore moulue à la meunerie et saupoudrées de sucre du pays, tartes à la ferlouche et aux pommes hâtives. Albertine était chargée des fournées de pain qu'elle ferait cuire chez elle juste à point pour que la tête fromagée s'y étale langoureusement.

— Tu comprends, Susannah, avec les jambes qu'il a, Firmin t'apportera des pains encore chauds et croustillants.

C'était donc un jour d'automne, vif et lumineux. Il sembla à Flora que ce soleil du 19 septembre avait enveloppé tout son village de fines dorures. Et, quand elle entra dans l'église au bras de son père sous les notes d'allégresse de l'harmonium lancées par Mlle Martine, elle se retrouva devant un tableau saisissant : celui d'un homme fort et viril qui avait rechoisi la vie et, plus encore, le défi d'un amour égal et partagé. Il se tenait debout près du fauteuil destiné au marié, escorté en rang de grandeur par ses quatre enfants, dont les yeux rayonnaient de confiance envers elle, Flora Martin, qui allait répondre un oui d'amour et d'engagement mûr et réfléchi à leur père Jules Dufour, l'amour enfin trouvé et reconnu de sa vie.

Les gens du village disaient d'eux qu'ils n'étaient pas un couple comme les autres. N'avaient-ils pas annoncé de plus qu'ils festoieraient avec les invités uniquement pour le premier repas, car ils partiraient en après-midi pour ce qu'ils avaient appelé un voyage de noces ? Alphée et Adélaïde, sous prétexte de leur faire voir leur petite sœur Joséphine, garderaient les enfants pour une semaine. Cyrille les reconduirait à la gare de Matapédia d'où ils prendraient le train qui les mènerait dans le village de Maria, où la parenté acadienne et canadienne-française les attendait, et également dans la réserve indienne du même nom, appelée Gesgapegiag, où les amis micmacs de Jules les attendaient aussi.

Ainsi, vêtue de sa robe de mariée en velours vert émeraude, sur laquelle elle avait plié en coin un long plaid écossais, et coiffée d'un chapeau à voilette, elle monta avec Jules dans ce que les Gaspésiens appelaient « le petit train de la Baie ». Il lui tenait le bras tout contre lui sans cesser de lui souffler à l'oreille, comme si une grande déchirure du ciel s'était ouverte soudainement pour eux deux, qu'ils étaient enfin véritablement seuls pour une semaine. Leur semaine de noces.

« Pas encore », avait répliqué Flora d'un ton légèrement moqueur, en observant les maraîchers encombrés de caisses et de cabas de légumes qui rentraient précipitamment dans les wagons. À travers les sacs de semence en jute et les poules en cage qui caquetaient, les nouveaux mariés cherchèrent avidement une place, où ils se laissèrent rapidement tomber tel le lièvre des bois qui vient tout juste de trouver son territoire.

Jules l'entourait de ses bras et elle sentait confusément la chaleur physique, pressée, de son corps d'homme sur son corps de femme. Ce moment lui apparaissait comme une embellie radieuse arrachée à leur vie amoureuse presque secrète depuis leur première rencontre au magasin général. Jules parlait justement de rencontre et lui enjoignait de regarder à travers la vitre du wagon.

Se souvenait-elle, lui demandait-il, de la légende micmaque qui relatait la rencontre des deux rivières?

Si elle s'en souvenait! Cette histoire indienne ressemblait à leur propre destin. Klooscap, le dieu micmac de «toutes les bonnes choses», avait détourné le cours de la rivière Ristigouche qui, à travers montagnes, îles et alluvions, était venue s'unir à la rivière qu'elle aimait afin qu'elles se jettent toutes deux ensemble dans les eaux de la baie des Chaleurs.

– Regarde à droite, insistait Jules. Les deux rivières se rencontrent là et, juste un peu plus loin à gauche, elles se jettent dans les bras l'une de l'autre afin d'être ensemble pour affronter la mer.

Affronter la mer? Oui, elle était plus que prête à le faire avec lui.

C'était un train bien humble que celui de la Baie. À leur arrivée à la gare de Matapédia, ils avaient observé avec grande curiosité le bœuf qui, attelé à une plateforme tournante, faisait pivoter les rails de la locomotive afin de l'orienter vers la baie des Chaleurs. Puis le train avait quitté lentement les berges des rivières et s'était approché des falaises du littoral déjà battues par les marées, débusquant au passage quelques hirondelles de mer à la tête fine, au collier blanc sur leur ventre brun.

Flora n'avait jamais vu le bleu-vert de cette mer issue de l'Atlantique. Elle connaissait les rivières, les ruisseaux, les chutes d'eau et les cascades, qui jaillissaient si joyeusement des rochers de la Vallée qu'on leur avait donné le nom de «voiles de la mariée». Elle ne connaissait cependant pas la mer, et Jules l'y amenait, les yeux brillants du bonheur qu'il partageait avec elle. Il n'arrêtait pas de parler, de lui indiquer les bateaux de pêche qui rentraient dans les petits ports, les pêcheurs qui remontaient leurs filets remplis de morue et de lui expliquer les caractéristiques des villages accrochés aux côtes de la baie des Chaleurs.

« Pointe-à-la-Croix, disait-il, à cause de cette croix plantée par les Micmacs de la grande famille des Algonquins maritimes, eux-mêmes descendants lointains des tribus préhistoriques venues des montagnes de la Mongolie ou des steppes de la Russie et amenés à la foi chrétienne par les missionnaires français.

« Pointe-à-la-Batterie, qui fut le dernier refuge du drapeau français dans les régions de l'Est canadien, là où les artilleurs français, canadiens, acadiens, et leurs alliés indiens, les Micmacs, avaient installé leurs munitions et leurs canons pendant les derniers mois de la guerre de Sept Ans entre la France et l'Angleterre.

« C'est un lieu historique, regarde partout sur la mer, les caps, les pointes, les grèves », ajoutait-il en entourant les épaules de Flora avec tellement d'enthousiasme et de fierté que le désir de celle-ci pour cet homme se réveillait encore davantage et qu'elle n'avait plus qu'une pensée : se donner à lui.

C'était dans cet estuaire de Pointe-à-la-Batterie, à l'aube du 8 juillet 1760, que s'était déroulée la dernière bataille navale entre les deux peuples rivaux voulant s'emparer de la Nouvelle-France. Un an auparavant, le 13 septembre 1759, la défaite des troupes françaises du marquis de Montcalm par le général anglais James Wolfe sur les plaines d'Abraham avait forcé la reddition de Québec. Il restait à faire capituler Montréal.

De Londres, la Marine royale avait alors dépêché une escadre composée de cinq navires de guerre vers le golfe du fleuve Saint-Laurent, en direction de Montréal. De son côté, la France avait envoyé de Bordeaux cinq navires pleins de ravitaillement, une centaine de soldats et autant de marins pour soutenir la colonie affamée et épuisée. C'est entre Pointe-à-la-Batterie et Pointe-à-la-Garde que le commandant La Giraudais, affaibli par la perte de trois de ses bateaux arraisonnés par les Anglais ou perdus en mer, avait dû se rendre, non sans avoir sabordé ses deux dernières frégates afin qu'elles ne tombent pas aux mains des Anglais. Privée des renforts et du ravitaillement attendus, la Nouvelle-France capitulait le 8 septembre suivant, à Montréal. C'était la fin de l'Amérique française, où qu'elle fût.

Jules et Flora se turent quelques instants, conscients d'un serrement de cœur réciproque, respectueux de tous ces hommes à jamais enfouis dans la terre et sous la mer de ce pays pour lequel ils avaient donné leur vie. *Nés sous le lys, ils ont grandi sous la rose...*

Indifférents à ces lieux historiques, les oiseaux de mer tournaient en criant autour des bateaux de pêche ou s'abattaient dans les foins salés du littoral, là où, au printemps, les éperlans étaient si nombreux que, disait-on, ils roulaient sur les grèves dans toute cette région d'Escuminac. On devinait au loin, à cause de ses rochers couleur d'ocre rouge, les falaises de Miguasha dont les flancs recelaient des fossiles de poissons vieux de millions d'années et de fougères hautes comme des arbres. Plus loin, à Carleton-sur-Mer, les glaciers avaient raviné de vastes plaines propices à l'agriculture et fait émerger en même temps le prolongement de la chaîne des Appalaches. Cette immense murale arrondie à sa crête entourait le village et son barachois, coupé là, en pleine mer, avec ses galets et ses herbes folles. Jacques Cartier, qui, lors de la canicule de juillet 1534, avait jeté l'ancre en Gaspésie, n'avait-il pas dans ses récits de voyage comparé à la terre d'Espagne cette contrée, « la plus belle qui soit de voir » ?

Plus qu'étonnée, fascinée par tout ce qu'elle voyait et apprenait, Flora serrait la main de Jules, qui n'arrêtait toujours pas de parler et d'expliquer. Carleton-sur-Mer s'appelait autrefois Tracadièche, « lieu où il y a des hérons », selon la langue imagée des Micmacs. Cependant, une décennie après la Conquête, des Acadiens, qui avaient réussi à échapper à la Déportation et également à défricher leurs terres et à les rendre fécondes, étaient de nouveau menacés par les colons loyalistes qui, à la suite de la guerre de l'Indépendance américaine, avaient quitté les États-Unis pour s'établir au Canada et convoitaient leurs terres. C'est alors que les Acadiens avaient fait appel à Guy Carleton, troisième gouverneur du Canada, duquel ils obtinrent finalement leurs titres et droits de propriété. C'est ainsi que, par reconnaissance sans doute, Tracadièche était devenu Carleton-sur-Mer et que l'on avait donné au village suivant, fondé par des pionniers acadiens et irlandais réconciliés, le nom de Maria, en l'honneur de Lady Maria Effingham, épouse de Sir Guy Carleton.

Le train de la Baie s'arrondissait maintenant afin de s'enrouler autour d'une longue courbe, et Jules pressa davantage l'épaule de Flora.

— Nous entrons dans le village de Maria, dit-il simplement alors que Flora était éblouie par l'immensité des eaux qui s'étalaient sous ses yeux.

Ici la mer rejoignait le ciel. L'infini, pensa-t-elle. Et le retour aux sources aussi, alors que, sur le quai de la gare, les amis micmacs de Jules, portant au front bandeau à plumes et porte-bonheur en dents d'ours autour du cou, les attendaient, s'emparaient des bagages tout en leur faisant signe de les suivre.

Déjà, la Proclamation royale de 1763 avait créé une relation particulière entre la Couronne et les peuples autochtones et établi les procédures d'acquisition des terres appartenant aux Premières Nations. Plus d'un siècle plus tard, le gouvernement canadien, désirant sans doute sédentariser la population indigène, avait cantonné les Micmacs de la baie des Chaleurs dans deux réserves : celles de Ristigouche et de Maria.

La tribu indienne de Gesgapegiag, en bordure de Maria, s'était rapidement adaptée au milieu environnant maritime, de telle sorte que l'on désignait volontiers les Micmacs comme «le peuple de la mer». La réserve, située en effet en aval de la rivière Cascapédia, leur offrait eau douce, truites et saumons en montaison. La mer leur offrait pour sa part la morue, le hareng, les coquillages et les crustacés.

Flora fut étonnée et heureuse de constater qu'aucune palissade n'entourait la réserve, que les enfants couraient aussi librement dans les champs que sur les rives de la mer et de la rivière, et qu'on y avait gardé un certain mode de vie traditionnel. Quelques rares maisonnettes en planches brutes côtoyaient, il est vrai, les wigwams, et plusieurs membres de la tribu portaient des lainages et des étoffes imprimées, que l'on nommait d'ailleurs de l'indienne. Était-ce cependant pour eux que le grand chef et son épouse avaient revêtu leurs costumes de cérémonie ? Tous deux portaient des vêtements de peaux tannées, le chef arborant son panache en plumes d'aigle, et son épouse, la curieuse coiffe en pointe unique faite de laine, de rubans de soie, de crins de cheval et brodée de perles de verre. D'après la légende, elle était inspirée des coiffes de la fin du XVe siècle français, offertes aux femmes micmaques par les marchands basques et bretons qui pêchaient la morue et chassaient la baleine sur la côte gaspésienne.

C'était maintenant la toute fin de l'après-midi en ce jour de mariage. À travers les derniers rayons du soleil qui caressaient encore la mer, on apercevait des Indiens revenant de la pêche, harpons – « fouënes », avait insisté Jules – et filets à la main. Ils amarrèrent bientôt leurs canots d'écorce, au fond desquels des paniers tressés ajourés regorgeaient de poissons aux écailles argentées, encore frétillants. Ici et là, on allumait, pour la cuisson, des feux à l'intérieur de grosses pierres disposées en cercle. Le chef avait annoncé que le repas de fête aurait lieu dans une heure et proposé à ses invités de poursuivre à leur gré le tour de la réserve.

Ce jour-là, les femmes se hâtaient de dépouiller les wigwams du revêtement en écorce et en joncs nattés qui leur avaient servi pendant la belle saison. L'automne venu, les nuits étant plus fraîches, elles enroulaient maintenant autour des wigwams des peaux d'orignal et de chevreuil qu'elles cousaient les unes aux autres avec de fines racines d'épinette. Elles travaillaient hardiment, avec adresse, et, devant l'air étonné de Flora, elles emmenèrent en riant leur invitée visiter le plus beau wigwam de la réserve: celui du chef et de son épouse qu'elles nommaient Pasqua.

Le chef avait planté son wigwam à l'écart, sous des pins séculaires, d'où l'on pouvait, devant, contempler l'immensité de la mer et, derrière, découvrir les Appalaches, à ce point creusées par le passage des glaciers que les plis de leurs flancs ondulaient comme du velours en camaïeu de verts, tantôt éclatants, tantôt si profonds qu'il en devenait sombre dans ses replis. Profondément captivée par toute cette beauté sauvage, Flora n'entendit pas et ne vit pas davantage son mari Jules et le chef indien, qui l'observaient en souriant. Elle entendait pour la première fois le bruit rythmé des vagues qui déferlaient sur la grève. L'air était pur, encore lumineux, incroyablement immobile. Le temps s'était comme mis hors de ses gonds. Pour un moment, il lui sembla qu'elle appartenait à l'éternité du cosmos.

On l'avait appelée pour le repas du soir. Assise près de Jules qui paraissait entièrement à l'aise et même habitué à un tel décorum, elle regardait avec affection le chef et son épouse, leurs pommettes saillantes, leurs yeux noirs aussi vifs que doux et surtout les lignes de leurs visages burinés par le grand air et par toute une vie de gouvernance et de responsabilités. Tous deux dégageaient des sentiments forts de confiance, de protection, de savoir-faire et de sagesse. Elle se sentit pacifiée en même temps qu'assaillie intimement par une certitude : c'est dans cette hutte, dans la beauté offerte par cette nature simple et inchangée, qu'elle voudrait se dévoiler à Jules, son mari. Elle lui serra soudainement la main et il la regarda encore une fois de ses yeux clairs, attentifs, patients. Elle éprouvait le désir fou que ce wigwam devienne, le temps d'une nuit, leur chambre nuptiale.

Déjà, les effluves du saumon de l'Atlantique s'échappaient du fumoir et, un peu partout, des feux et des torches illuminèrent l'espace. Toute la tribu se disposa en un seul cercle car, disait Sagamo, le chef, tant que le cercle demeure intact, il est fort, prospère et contient un grand pouvoir. Pasqua expliquait aussi qu'un rond brisé ne pouvait fonctionner. Que le soleil est rond, que le nid d'oiseau est rond, comme l'est la terre. Étonnamment, dans ce milieu où prévalait, prétendait-on, une hiérarchie patriarcale, Pasqua, femme, épouse et mère tenait une place importante.

– Quand nos petits naissent, continua-t-elle, nous les roulons dans des peaux de lièvre pour les réchauffer. Nous enveloppons aussi nos morts dans l'écorce ronde de nos bouleaux. Ainsi la boucle est bouclée. La nature est notre inspiratrice et nous l'avons reçue en partage.

Flora et Jules se sentaient presque aux confins de la terre lorsqu'un feu de foin d'odeur fut allumé en signe de purification. Et le festin convivial commença : saumon braisé qui goûtait encore l'eau salée, tranches juteuses de dindons sauvages avec leurs atocas, champignons frais de la forêt et, au dessert, ce pain tout simple appelé pain banique grillé sur le feu et fourré, au milieu, de la gelée de ce petit fruit rouge qui pousse à l'état sauvage, le pimbina.

On venait tout juste de remplir les gobelets du précieux liquide du thé des bois quand le grand chef se leva et prononça avec solennité :

– Nous recevons ce soir deux grands amis et, au nom de l'hospitalité micmaque, nous leur offrons, mon épouse et moi-même, de dormir cette nuit parmi nous dans le wigwam du chef.

– Flora... fit Jules, l'air à demi complice et à demi hésitant.

– Oui, trancha rapidement Flora, éperdue de reconnaissance, bouleversée par le battement incessant des vagues sur la grève, par la nature qui les encerclait tous et surtout par l'extrême bien-être qu'elle ressentait au milieu d'une fraternité d'hommes et de femmes, différents par la peau et la culture mais si semblables par l'esprit et le cœur.

Flora et Jules s'étaient attardés longtemps à regarder le ciel, étourdis qu'ils étaient par tant de bonheur. Jules fit remarquer que le wigwam était posé sous la Grande Ourse, d'où l'on pouvait également admirer le scintillement de l'étoile Polaire. Il s'attardait, retenait l'heure. Il ne savait pas si Flora était prête…

— Rentrons, dit-elle.

Le wigwam du chef était haut et spacieux et à ses parois étaient attachées des peaux soyeuses de renard et de lynx et des peaux plus rudes d'ours noir et d'orignal. On avait tapissé le plancher de mousse tassée à même des aiguilles de pin et de jeunes pousses de cèdre. Sur la droite avait été aménagé un lit solidement appuyé sur des bûches d'épinette, au-dessus duquel des branches de sapin recourbées en forme de nid étaient recouvertes de draps invitants en gros coton. L'odeur du sapinage et de la sève encore fraîche était enivrante. Au pied du lit, des couvertures rugueuses, enroulées à travers des peaux de lièvre et de chevreuil cousues ensemble, formaient une vaste courtepointe. Plusieurs calumets, dont le fourneau de pipe était façonné en pierre de savon rouge et la tige gainée en cuir souple ornée de coquillages polis, semblaient faire partie du quotidien. Quelques wampums, ces larges ceintures abondamment perlées que l'on s'offrait entre tribus en gage de paix et qui servaient aussi de documents lors des échanges commerciaux et des traités, étaient étalés respectueusement sur un des pieux du wigwam. Et surtout, surtout, brûlait au milieu de la hutte un léger feu encerclé par des pierres arrondies comme des galets. «Le cercle, lui avait encore expliqué Pasqua, c'est comme l'union des cœurs et des esprits dans un même corps. C'est la continuité de la vie», avait-elle aussi murmuré en remettant Flora à son mari.

— Nous sommes comme aux premiers jours du monde, dit Flora.

— Aux premiers jours de notre vie de couple, répondit Jules.

Il la tourna vers lui et la regarda intensément.

— Je t'aiderai à défaire tous ces boutons de velours, murmura-t-il.

— De velours vert émeraude… bégaya-t-elle.

— Tous ces boutons cousus serré que la Petite Marquise…

Ils s'en allaient vers l'amour.

— La lunaison, Flora?

— Oui, dit-elle dans un souffle, en sentant dans son dos, puis sur sa poitrine, les mains avides et chaudes de Jules qui cherchaient son corps et se glissaient maintenant dans l'échancrure de sa robe de mariée.

— Viens sur mon épaule, dit-il. La lunaison? interrogea-t-il de nouveau.

Ne se posant plus de questions, elle qui s'en était tant posé, réchauffée de part et d'autre par cet homme vibrant comme le feu de sa forge, elle tentait déjà, à sa grande surprise, de se faire un nid dans le creux de son corps à lui, quand un désir violent pour l'homme qu'elle aimait la saisit dans les arcanes les plus secrets et les plus intimes de son corps de femme. Elle sentit qu'elle se délestait des réticences obscures, des anciennes peurs, et que de fortes et mystérieuses attirances la pressaient aux reins et la poussaient vers Jules comme si ce rituel charnel scellerait à jamais leur destin.

Dans le silence de la nuit, dans le silence des gestes et des mots, sous la constellation de la Grande Ourse qui éclairait discrètement le wigwam, dans leur première chambre nuptiale, ils se dévoilaient peu à peu, se découvraient, s'exploraient et, dans la montée du désir qui les emportait loin de tout, aussi fortement que les eaux des débâcles du printemps, ils se donnèrent l'un à l'autre, se possédèrent l'un l'autre dans l'élan magnifique de leur amour et de leur engagement.

Deux êtres dans une seule chair. Une déflagration physique, libre, fougueuse, secrète entre elle, Flora Martin, et lui, Jules Dufour. Un instant extrême d'abandon où une femme et un homme qui s'aiment se déchargent de tout ce qu'ils ont vécu ou de ce qu'ils ont cru vivre.

Un recommencement.

Jules s'était déjà endormi, pacifié, son bras vigoureux entourant le corps de sa femme. Flora restait là, émergeant de l'amour, envahie par une commotion indicible, les yeux grands ouverts, mystérieusement immobile comme si l'embrassement fort et puissant qu'ils avaient échangé ouvrait, pour eux deux, des terres nouvelles, fertiles, prêtes à fleurir.

Son esprit fonctionnait très vite. Elle revoyait mot à mot, dans une des pages du dictionnaire médical du Dr Napheys, l'histoire miraculeuse, presque incroyable, des commencements de la vie. Quelques heures seulement après l'union charnelle d'un homme et d'une femme pouvait apparaître une nouvelle vie. Elle pensa alors à cette coquille d'huître apportée par les grandes marées d'automne et qu'elle avait ramassée sur la grève en arrivant à la réserve micmaque. La coquille, ouverte, brassée par les eaux salées de la mer, s'était épaissie, feuilletée qu'elle était par de fines couches de sédiments. Curieuse et émue, Flora y avait découvert, collée à la paroi lustrée de l'une de ses valves, une toute petite perle nacrée, aux reflets légèrement irisés, qui commençait tout juste à s'arrondir.

La vie.

Le 15 juin de l'année suivante, par une nuit de l'été encore jeune, naissait un petit enfant, qui poussa un cri éclatant à travers la maison de Jules et de Flora. C'était un garçon robuste, à la chevelure brune et épaisse comme celle des Martin, aux yeux bleus et clairs comme ceux de la famille Dufour, à la peau douce comme la fleur d'oranger et la rose vermeille.

Quelques jours plus tard, Susannah avait revêtu son petit-fils de la longue robe de baptême traditionnelle venue d'Acadie et sur laquelle la Petite Marquise avait glissé un plaid aux couleurs vives du clan écossais. Et, à la surprise de tous, y compris de Marie et de James venus à Saint-Alexis pour assister Flora, ses parents le nommèrent Antonio.

Ce petit garçon, c'était mon père.